여우신랑 인간신부

여우신랑 인간신부

Salt 장편소설

작가의 말

등장인물

이현
인간을 사랑하게된 구미호
하늘에게 힘을 부여받은 자

이지연
우미호를 사랑하게된 인간
우미호를 멈출수 있는 인간

청진
청룡, 리센트의 부회장, 이현의 오른팔
비와 바람을 다스리는 자

진흑암
현무, 모든것을 꿰뚫어 보며 시간을 다
스리는 자

이설연
백호, 겨울과 눈을 다스리는 자

유시아
주작, 불을 다스리는 자

김이신
황호, 대지를 다스리는 자

신주
귀수산 신령
현과 나머지의 스승, 땅의 주인

'여우는 100살이 되면, 아리따운 여인이 될 수 있고, 사내가 되어 여인과 교접하기도 한다.'

1000년을 산 여우는 하늘과 통하여 천호(天狐)가 된다 그 재주는 신통한 무당과도 같아, 천 리 밖의 일을 내다 볼 수 있다.

-玄中記(현중기)-중에서

-...지연아…. 내가 만약 인간이 아니면 어떻게 할 거야…?지연은 잠시 생각하다가 현의 손을 잡았다.

-난…. 상관없어요…. 회장님이 사람이든 요괴든 난 다 상관없어요….

현의 눈에서 눈물이 흘렀다. 전혀 예상하지 못한 발언이었다.

-왜 울어요…?

-아니…. 고마워서….나가볼게….

현은 방에서 나가자 땅바닥에 주저앉았다.

-…. 내가 쟤 때문에 몇 번을 주저앉는지 모르겠네….

-잘하는 짓이다….

신주가 차를 들고 현을 찾았다.

-…. 얘기 좀 하자

신주가 상으로 현을 데려갔다.

-….현아…. 저 사람이 그리도 좋니?

-…. 그런가 보다….

현이 씁쓸한 표정으로 차를 들이켰다.

-내가 구미호가 아니었으면...

-그럼, 저 사람이랑 잘될 수 있을 거 같니?

신주의 말이 정곡을 찔렸는지 현은 아무 말도 할 수 없었다.

프롤로그 여우 설화

옛날 옛적 인간 여인에게 각인되었던 구미호가 있었다. 그 구미호는 점점 인간을 연모하게 되었다. 그 여인도 구미호를 연모했다. 그러던 어느 날 여인이 죽을 위기에 처했다. 산송장이 되어 누워만 있었다. 구미호는 좋다는 약은 다 가져다 먹였지만 여인의 상태는 호전되지 않았다. 구미호는 좌절하며 방법을 모색했다. 그러던 중 한 책에서 이 문구를 보았다.

-여우구슬을 인간이 먹게 되면 인간은 하늘과 땅의 이치를 깨닫게 되며 죽어가던 이도 살릴 수 있다-

구미호는 곧바로 여인에게 향했다. 여인에게 무릎을 꿇

고 자신의 정체를 고했다. 여인은 놀란 기색 하나 없이 구미호를 껴안았다. 구미호는 여인에게 여우구슬을 먹였고 여인은 인간도 구미호도 아닌 새로운 존재가 되었다. 때마침 여인의 모친이 들어왔다. 구미호와 여인은 귀와 꼬리를 숨기지 않았기에 정체를 걸렸다. 곧 모친의 비명이 울렸고 마을 사람들이 달려왔다. 여인과 구미호를 향해 돌을 던졌고 몽둥이로 사정없이 내리쳤다. 구슬을 여인에게 먹인 구미호는 기력이 다했고 저항할 틈 없이 피를 토하고 죽었다. 여인은 울부짖으며 구미호를 감쌌지만, 사람들이 휘두른 몽둥이에 머리를 맞고 죽었다. 순간 하늘에서 황금빛의 구미호가 내려오더니 마을 사람 몇을 물어뜯어 죽이곤 구미호와 여인의 시체 앞에서 울부짖더니 시체를 물고 숲 너머로 사라졌다.

-그런데 여기서도 이야기가 두 갈래로 나뉜단다.

하늘에서 황금빛 구미호가 내려와 구미호의 몸으로 들어갔다. 구미호가 마을 사람들을 밀쳐내며 일어났고 여인을 데리고 저 멀리 숲으로 사라졌다. 그 후 마을 사람들이 말하기를 구미호와 반쪽짜리 구미호가 된 여인은 저 멀리 어디 외딴섬으로 가 아들 하나 딸 하나 낳고 잘 살았다고 한다.

제 1화 현 과 지 연

굴지의 기업 리센트
문화 사업, 의학사업, 전자사업 등으로 엄청난 입지를 다
지고 있는 대한민국 최고 기업이다.
-사장님? 오늘 H.L 기업 마케팅 회의는..?
-난 빠져
검푸른색의 머리칼과 의 짙은 남색의 눈동자, 훤칠한 키
와 외모 리센트의 창업자 32살의 젊은 청년 -이현-

대한민국에서 모르는 사람이 거의 없을 정도로 유명한 이다.

그에겐 극소수 회사 주요 임원들 밖에 모르는 비밀이 숨겨져 있다.

그 누구도 그를 인간이 아닐 거라고 생각하진 못했을 것이다.

그는 천호 흔히 구미호라 불리는 요괴다.

이 비밀을 알고 있는 자들인 임원들도 인간이 아니다

먼저 부사장인 청진은 청룡

리센트에 이사로 있는 유시아, 이설연, 신흑암도 각각 주작, 백호, 현무이며 현의 비서로 일하고 있는 김이신은 황호, 리센트 대표 변호사인 웅진과 면도 각각 곰과 삵이 둔갑한 것이다. 그 외 리센트의 이사들도 각각 인간이 아닌 요괴나 신수가 둔갑한 것이다.

그 누구도, 여태껏 살면서 현을 곤란하게 만든 이는 단 한 명도 없었다.

그랬던 그를 들었다 놨다 하는 여자가 생길 줄은 또 현이 그 여자 없인 생활이 안될 줄은 그 누구도 예상하지 못했다.

-오늘도... 지각하겠네...

부회장을 겸하고 있는 진은 항상 지각한다. 분명히 같이 사는 현과 시아, 설연, 이신, 흑암은 알람을 맞춰도 잘만 일어나서 가는데 자신은 거의 맨날 지각하기 때문이었다.

회사에 도착해 청진은 가장 먼저 눈치를 살피기 시작한다.

조심스레 부회장실로 들어가려는 순간

-야.. 지각

그리곤 진은 놀라 발채에 쓰러진다

-엄마야?.. 기척 좀 내고 다녀!

이 피도 눈물도 없는 구미호 자식아..

진의 뒤에는 현이 서 있었다.

-자 부회장님? 경위서 써서 사장실로 가져오세요~?

현은 그리 말하고 바로 사장실로 들어갔다.

사장실에 들어가자마자 현은 바닥에 주저앉았다. 숨을 헐떡이고 동공은 흔들렸다.

현은 7시간 간격으로 이 증상이 찾아온다. 어릴 때 가족이 몰살당한 후론 항상 그래왔다. 원래는 한 달에 1번 10분 동안 이 증상이 반복되었지만 이제는 7시간 간격으로 10분 동안 그 상태이다. 이 시간을 줄이려면 여우구슬을 입가에 대고 있어야 하지만 회사에서는 그러지 못하고 그 상태 그대로 머물러야 한다.

10분 후 두통만 남고 나머지 증상들은 완화되었다.

-현아 결재서류 두러 왔대

-들어오라고 해..

-안녕하세요!

마케팅 2팀 이지연 대리입니다!

결재서류 제출하러 왔는데..

-거기다 두고 가세요..

현이 고개를 돌려 지연의 얼굴을 본 순간 두통이 사라지고 머리가 맑아진 느낌이 들었다.

-그럼 수고하세요

지연이 나가고 현은 한동안 지연이 있던 곳을 응시했다.

그러곤

-.... 눈이 예쁘네..

그 말을 들은 이신과 진이 동시에 현을 바라봤다.

-야.. 쟤 미쳤냐?

-그러게..? 왜 생전 안 하던 말을...?

정신을 차린 현은 깜짝 놀라며 자신에 입을 때렸다.

-야.. 내가 방금 무슨 말 했냐..?

-몰라?

-너 어디 아프니?

생전 처음 한 행동이었기에 진과 이신은 의아했다.

현도 이런 적은 처음이었기에 한동안 정신을 차리지 못하고 있었다.퇴근길 현은 주차장에 사람들이 몰려있는 광경을 목격했다.

사람들이 있던 곳은 자신에 차가 있던 곳이었다.

-무슨 일입니까?

-아.. 그게 이분이 회장님 차를 긁어서요...

한 남성이 연신 고개를 숙이며 말을 했다

-죄송합니다.. 조심히 잘 보며 운전해야 했었는데...

차 수리비는 모두 제가 부담하겠습니다..

-아닙니다... 안 그러셔도 돼요..

-아닙니다... 그래도..

-그냥 가셔도 됩니다.

아저씨 이분 그냥 보내주세요.

-예 회장님

현은 그 남자를 그냥 돌려보냈다.

남자는 가는 그 순간까지 죄송하단 말을 연신 반복했다.

그때 진의 전화가 왔다

-야! 어디쯤이냐?

-... 나 좀 더 걸린다

사고 났음

-어 지하철 타고 와

-... 데리러 오면 안 되냐?

-되겠어?

별수 없이 현은 지하철역으로 갔다

지하철 좌석은 만석이었고 현은 난간을 잡으며 가고 있었다.

-잠시만요....

비좁은 틈 사이로 누군가가 들어왔다.

-어? 회장님?

-... 혹시 이지연 대리?

-회장님 지하철로 퇴근하세요?

-아닙니다.. 사고가 나서...

그때 정거장에 도착해서 현은 내리려고 했다.

-아 저는 여기서 내려야 해서..

-저도 여긴데..

-아 그럼 같이 갑시다.

걷고 있을 때 현은 생각했다.

왜 집에 가는 방향이 같지?

현이 집 앞에 도착하자 지연은 매우 놀란 눈치였다.

-회장님.. 여기 사세요..?

-예.. 그렇습니다만..?

제가.. 옆집 사는 거 같은데요...?

위치가 형에 집 바로 옆이 지연의 집이었던 것이다.

-아하하.... 뭐 뵐 일 있으면 인사하고 지내죠

-네 들어가세요.

지연은 신기한 눈치로 집에 들어갔다. 갑자기 지연의 밝은 표정은 사라지고 어둠이 드러났다.

-야! 왜 이리 늦었니? 얼른 밥 차려라. 굶어 돌아가시 겠다!

-네...

 집으로 돌아온 현을보곤 흑암과 이신은 경악했다.
-야.. 너 눈..
-뭐... 왜..?
현은 서둘러 거울을 보았고 경악할 수밖에 없었다.
눈이 여우로 돌아갔기 때문이다.
-너.. 각인됐냐..?
진이 현의 눈을 가리키며 물었다.
-너 오늘 누구랑 같이 왔어?
-우리 회사.. 이지연 대리..
-그럼 그 사람에게 각인됐네.
진이 피식 웃으며 현에게 말했다.
-야. 천호가 인간에게 각인이 된다고..?
-진짜 희귀한 일인데..
-너 각인 풀 방법은 아직 모르지?
-그런데 왜?
흑암이 소파에 앉아 현에게 말했다.
-잘 들어? 각인 기간인 1년간 네가 무사히 버티면 대
상자는 대상자가 가지고 있던 단점들을 버서날수 있
어. 그런데 각인자나 대상자중 한명이 크게 다치거나
죽으면 결국엔 둘다 죽어. 기억하고 있어.
다음날 현은 회사로 가 곧장 지연을 불렀다.

정말 각인이 된 거라면 이제 자신은 지연의 말이라면 1년간 꼼짝없이 다 따라야 했기 때문이었다.

-저 기... 회장님..?

-.. 아.. 지연 씨..

그 순간 현의 증상이 시작되었다.

현을 머리를 부여잡으며 바닥으로 쓰러졌다.

놀란 지연은 현에게 달려가 현을 일으켜 세웠다.

그 순간 둘의 눈이 마주쳤고 잠시 시간이 멈춘 것처럼 현과 지연은 서로를 응시하고 있었다.

지연의 눈을 바라보고 있자 현의 증상은 감쪽같이 사라졌다.

현의 머리를 짓누르던 고통은 온데간데없이 사라졌고 숨을 쉬기도 훨씬 편해졌다.

-.... 아.. 미안합니다..

-아니에요.. 것보다 회장님.. 병원 가보셔야 되지 않을까요..?

-아닙니다.. 이만 나가보셔도 됩니다. 그때 앉아있던 지연의 머리위로 상에 있던 화분이 떨어졌다. 현은 잽싸게 화분을 쳐냈다. 화분이 있던곳에서 쥐 한마리가 보였다. 현이 바라보자 쥐는 몸을 움츠리고 잽싸게 달아났다.

-..서생원?

지연이 나가려고 할 때 때마침 진이 문을 박차고 들

어왔다.

-야! 너 지금 큰일 났어!!

기사 빨리 봐봐!

진의 말에 현은 기사를 보았다.

기사에는 어제 퇴근 중인 지연과 현의 모습이 찍혀져 있었다.

-어?

현은 곤란한 듯 한숨을 내쉬며 잠시 생각했다. 아무리 생각해도 지연을 잡아둘만한 핑계는 계약 연애밖엔 떠오르지 않았다.

--명심해 잘못되면 둘 다 죽어

흑암의 말이 뇌리에 스쳤다. 그렇지만 현은 딱히 선택할 방안이 없었다. 곧 현은 결심한 듯 지연을 쳐다봤고 말을 꺼냈다.

-지연 씨.. 저랑 계약 하나만 합시다.

-네? 무슨.. 계약이요?..

-저랑... 1년만 사귑시다..

-예?

-... 쟤.. 지금 뭐라니..?

-그러게 말이다...

이신과 진은 현을 이상하단 듯 쳐다봤고, 지연은 당황했다.

-저.. 회장님? 그게.. 무슨..?

-말 그대로. 1년만 사귄다고 합시다.

-아니.. 전..

현의 일방적 제안 때문에 지연은 당황했다.

-싫어요.

그 말에 이신과 진의 웃음이 터져 나왔다.

-야.. 이건 알려야겠다.

지연에게 차인 현은 당황했지만 곧이어 다시 말을 꺼 냈다.

-아.. 제가 말만 그런 게 아니라..

조건이 있습니다.

-조건이요?

-한 달에 500

한 달에 500씩 더 드리겠습니다.

지연의 월급이 340만 원 여기에 500만 원을 더 받는 다면 지연에겐 더할 나위 없이 이득이었다.

-.. 알겠습니다..

대신!

진짜처럼 행동해야 안 속는 단 거 아시죠?

-진짜처럼요?

-.... 일단 이번주 주말 시간 비워두세요..

-갑자기.?

-네 제가 전부 가르쳐 드릴 테니 잘 따라오셔야 합니 다.

-예.. 뭐.. 알겠습니다..

-제가 다 알려드릴게요.

어두운밤 땅에서 하얀 짐승이 올라왔다.

온몸에선 살기를 내뿜고 곧이어 인간형태로 모습을 변화시켰다.

이 살기는 멀리 떨어져 있는 현에 집에도 퍼졌다. 현을 비롯한 모두는 동시에 잠에서 깼다.

-뭐야..?

-.... 장산범..

순식간에 현의 얼굴은 분노와 원한으로 뒤덮였다.

순식간에 집안에 모든 전등이 깨졌다.

청진은 서둘러 현을 진정시켰다.

현이 장산범에게 이토록 치를 떠는 이유는 바로 장산범이 현의 원수였기 때문이다.

현의 가족은 현을 제외한 모두 장산범에게 죽임을 당했기에 더욱더 그랬다.

-야.. 할배한테 연락 왔다..

내일 전부 오라는데..?

다음날 현을 포함한 모두 산을 오르기 시작했다.

-할배~!

이들이 부른 건 산신 신주

이 다섯 명의 부모와도 같은 존재였다.

-할배..

-다들.. 내가 왜 오랬는진 알 거야?....들어와

신주는 모두 안으로 데려와 앉혔다.

-간밤에 무슨 일이 있었는진 다 알 거야?

현의 얼굴은 싹 굳어져 있었다.

-장산범..

-그래.. 놈의 저주처럼 놈이 묻히고 현이에게 저주가 발동됐지.. 그리고 딱 1000년 지나니깐... 다시 나왔다..

-그럼.. 현재 위치는요?

신주의 대답은 이러했다

-놈의 부활이 완전치 않다.

영혼 구가 손상이 심해 복구는 불가능할 테고 밤에만 돌아다닐 수밖에 없다고 했다.

그 날 현의 꿈에 그때 일이 나타났다.

어미의 비명소리, 막내의 울음소리, 아비와 어미의 여우구슬을 받는 장면까지 당시 10살이던 어린 현에겐 엄청난 충격으로 다가왔던 사건이었다.

그날 아침이 되자 현에겐 그 누구도 남아있지 못했다.힘이 되지 않았기에 그 누구도 구하지 못했다.양손엔 부모의 여우구슬만이 존재했고 온몸은 피범벅이 되어있었다.

기력이 다해 절벽에서 떨어졌고 그런 현을 구한 것이 바로 신주였다.,신주는 현의 아비와 어미의 스승이었고 시체들을 모두 모아 화장을 하고 돌아오는 길이었다.

현을 보고 놀란 신주는 현을 데려와 진, 시아, 흑암, 설연과 같이 길렀고 덕분에 현이 그날 죽지 않을 수 있었다.

절벽에서 떨어지는 걸 마지막으로 현의 꿈이 깼다. 아침이 밝았고 지연과 만나기로 한 시간이 거의 다 되었을 때쯤 현이 급하게 약속 장소에 도착했다.

-회장님 근데 아무리 1년이라지만 우리 호칭은 정해야지 않을까요?

-호칭이요?

현은 이런 적이 없었기에 지연에 말에 따랐다.

-일단 저는 회장님이라 부를 테니 회장님은 그냥 편하게 '지연아'라고 부르세요

-... 지연아...

말이 끝나기 전에 현은 얼굴을 부여잡으며 고개를 숙였다. 그 모습에 지연은 깔깔대며 웃었다.

-그냥 편하게 하세요~

-... 지연아.. 지연아..

그렇게 계속 걷다 보니 한 공원에 도달했다. 벚꽃이 활짝 폈고 공원에는 수많은 연인들이 있었다.

-오빠 나 사진 좀 찍어주라~

-지연씨? 호칭이..

-알아요 그냥 한번 불러봤어요
지연은 핸드폰을 현에게 쥐여주고 포즈를 잡았다.
현은 사진을 찍다가 멈추고 지연을 응시했다.
심장은 빨리 뛰고 귀는 점점 붉어졌다.
현은 생각했다.
여우의 사랑은 비극으로 끝나는데.. 자신이 만약 진짜로
지연을 좋아하게 되면 어떨지.. 현은 그렇게 한참 동안
지연을 바라봤다.

월요일이 되자 회사에선 지연과 현을 흘깃거리며 쳐다봤
다.
-지연 씨?
-네! 주임님..
-진짜로 회장님이랑 사귀나요?
-아... 그게.. 그렇게.. 됐어요..
-정말요?
사실을 구별하려고 지연에게 질문을 하는 이들도 수두룩
했다.
-회장님 너무 관심이 집중되는데요..?
-우리 회사에선 존칭 쓰도록 합시다.
-회장님? 존칭썼는데요?
-..그러네요 이건 저도 예상하지 못한 부분이어서..?
한바탕 실랑이가 끝나고 진이 들어왔다.

-야... 너희 둘 유명 스타 됐다.

-.. 예상했겠냐?

-천호가 그런 것도 예상 못 하냐?

진은 현을 놀려댔고 현은 진을 째려봤다.

-방해나 하지 마..

-.. 너 설마 진짜로 저 사람 좋아하냐?

-... 모르겠다..-맞다 너 요즘 증상 안 온다?

진의 말대로 현의 증상은 근 이틀간

나타나지 않았다. 지연과 같이 있어서 그런진 모르겠지만 그때 눈을 마주치고 나서부터 증상이 나타나지 않았다. 이틀간 증상이 나타나지 않은 건 6년 만에 처음이었기에 현과 진은 놀랄 수밖엔 없었다.

-이러다가 완치되는 거 아니야?

-장산범이 소멸하면 그리 될지도?

-... 네가 죽여야지

-나 혼자론 불가능해..그리고 장산범이 깼다면 혼돈, 궁기, 도올, 도철.. 이 사흉수도 곧 깨어날 거야..

사흉수는 장산범이 대리고 다니는 4마리의 흉물이다. 현의 아비가 죽은 이유도 사흉수와 장산범 이 다섯을 한꺼번에 상대했기 때문이었다.

-.. 너 근데 지연 씨도 알아?

-아니..지연이 모르는 게 당연했다.

애초에 말을 했으면 믿지 않을뿐더러 믿는다 해도 얼마

안 가 이용당하기 때문이었다.

-현아.. 네 소신대로 살아..

네가 말할 거면 말하고 하지 않을 거면 하지 마.. 어차피 1년이야..각인 기간 끝날 때까지만 조심해..

-.. 그러지 뭐...

-그래.. 쉬어라

그날 저녁 현은 지연에게 연애 강좌를 듣기 위해 지연과 저녁식사를 가졌다.

막상 이야기하다 보니깐 연애 강좌가 아니라 지연의 술 주정을 듣고 있었다.

-그래서... 회사에서...

현은 구미호 여서 술에 강했지만 지연은 1병 마시고 바로 취해버렸다.

현의 집 이신을 포함한 5명이서 술자리를 가지고 있었다.

그때 초인종 소리가 울렸고 흑암이 나갔다.

문을 열자 현이 지연을 업고 문밖에 서 있었다.

-...이야... 이 새끼 발랑 까졌네?

여자를 집에 데리고 온다? 이현이?

이 말이 끝나자마자 현을 제외한 모두가 폭소했다.

설연은 다가가 지연을 살피더니 현을 바라보며 비웃어 댔다.

-야 얘 좀 봐! 자기가 고백했다 까였는데 자기 찬 여자

를 집에 데려왔어!

진은 바닥을 치며 웃었고

시아는 너무 웃어선지 헐떡거렸다.

현은 얼굴을 살짝 찌푸리곤 곧장 방으로 올라갔다.

자신에 침대에 지연을 눕히고 조심히 걸어 나와 술자리에 합류했다.

-야.. 너 차였던 여자는 집에 왜 대려 오냐?

모두들 웃으며 현을 보았고 현은 자신도 어이가 없다는 듯이 웃었다.

-야... 너흰 누굴 보면 심장이 막 뛸 때가 있냐?

-.. 얘 요즘 왜 이래?

-... 얘 미쳤나 봐..모두들 현을 미친 것처럼 보았다.

-음.. 뭐 그럴 때가 있지..우리처럼?

설연이 이신을 끌어안으며 말했다.

-.. 야. 예 내쫓을래?

설연과 이신은 유일한 부부였고 그러기에 현의 감정을 누구보다 잘 알고 있었다.

-너 설마.. 저 사람 좋아하니?

-... 좋아하다가... 무슨 의미일까?

모두들 눈치를 챘지만 현만 오직 눈치를 채지 못했다.

-정말 쟤는 이런 걸 못해..사업 같은 건 누구보다 잘하는데.. 이런 건 못해..

-... 진짜 뭐냐?

-...... 조만간 알게 될 거야~

다음날 아침 잠에서 깬 지연은 화들짝 놀랐다. 처음 보는 장소에서 잠을 잔 데다 바로 옆자리엔 현이 누워있었기 때문이었다.

지연은 현이 깨지 않도록 슬그머니 일어났다. 그 순간 지연의 팔이 잡혔고 놀란 지연은 뒤를 돌아봤다.

현이 손을 잡고 있었다.

-.. 어디 가냐?

-.... 집에요..?

-뭘 그리 일찍 가? 바로 옆인데?

--... 강아진가?--(여우는 개과)

현의 똘망 똘망 한 눈빛에 지연은 당황했다.

-알았어요..

그 순간 지연의 발이 꼬여 지연은 넘어졌다. 물론 지연을 잡으려던 현도같이. 때마침 방문이 열렸고 진이 들어왔다.

-식사들 하....뭐 하냐?

순간 5초간의 정적이 흘렀고 진은 조용히 나갔다.

-.. 웬일로 아무 말이 없냐?

아니나 다를까 문밖으로 나가자마자 진의 목소리가 집 전체에 울렸다.

-야! 이현 진도 왜케 빠르냐?

-저 자식이?

진을 잡으려 현은 뛰쳐나갔고 5분 뒤 진의 비명소리가
울려 퍼졌다.

식사를 하러 나온 지연은 기겁했다.

현과 진의 얼굴이 만신창이였고 현과 진을 제외한 모두
가 둘을 보고 키득대고 있었기 때문이었다.

-회장님..얼굴이 왜그래요? 부회장님도 왜?..

현과 진의 눈은 시퍼렇게 멍들었고 진의 코는 휴지로 막
혀 있었다.

-야.. 너 싸움 안 배운다며... 왜 나보다 잘하냐?

-조용히 하고 밥이나 처먹어.

현의 말에 진은 입을 다물었다.

식사를 마치고 지연은 모두에게 거듭 사과를 하고 현과
같이 나갔다.

-드디어 우리 현이에게도 봄이 오는구나..

흑암의 말에 모두들 흑암을 쳐다봤다.

-.. 쟤네 계약인데?

-야.. 나 현무야..

-... 맞다..

제2화 계약종료

-먼저 들어가 보겠습니다.

-예 내일 봅시다..

집으로 올라가는 계단에서 지연은 사촌 동생 '서진'과 대면했다.

-언니? 남자랑 있네? 언니가 지금 이러고 있어도 되나?

-... 내가 뭘 하든 너랑 뭔 상관인데?

'오서진' 그녀는 지연의 사촌 동생으로 지연이 먹여살리는 식구 중 한 명이다. 지연이 어린 나이에 고아가 되자 지연의 고모가 지연을 집으로 데려왔고 지연과 서진은 둘도 없는 친구가 되었다. 둘의 사이가 틀어진 시점은 서진의 사춘기부터였다. 사춘기에 접어든 서진이 지연을 무시하고 자신에 식모로 여기면서 둘의 사이는 점점 틀어졌고 그렇게 사이가 틀어진 채로 남게 되었다.

-언니.. 언니가 하는 일이 우리 먹여살리는 거야.

-... 됐다.. 피곤하니깐 너도 네 방 가서 쉬어..

지연이 일부러 자리를 피하자 서진이 이를 악물고 대답하였다.

-지 부모 죽인 년이...서진의 말 한마디에 지연이 멈춰섰다.

-.. 너 지금 뭐라 했냐..?

지연의 표정은 갑자기 정색을 했고 천천히 서진에게 다가갔다. 서진은 움찔했지만 코웃음을 치고 말을 이어나갔다.

-맞지 않나? 자기가 보고 싶다고 졸라서 다 죽었잖아?

어느새 지연의 눈은 증오로 가득 차있었고 지연은 즉시 서진의 뺨을 때렸다.

맞는 소리에 지연의 고모가 뒤쳐 나왔다.

-지금 이게 무슨 짓이냐?

지연의 고모가 매섭게 쏘아붙였지만 지연은 눈을 피하지 않고 말을 계속했다.

-이제 보니.. 돈 때문에 잡아뒀던 거구나? 그렇지 않고서야 자취하겠단 객식구를 잡아둘 리가 없으니깐...지연의

발언에 고모는 정곡을 찔린 듯 헛기침을 했다.

-... 이제라도 알았으니 다행이네...우리.. 이젠 얼굴 마주하며 살지 맙시다. 내 짐은 그대로 두고 갈 테니 팔 거면 팔고 쓸 거면 쓰세요...키워주신 건 감사합니다.

말이 끝나자마자 지연은 집 밖으로 뛰쳐나왔다.

-저.. 저년이...

집 밖으로 나오자 지연은 서러움이 복 받쳐 그 자리에 주저앉고 울었다. 22년 동안 객식구로 살며 고모에겐 항상 미움받았으니..

저녁때 현은 방에 틀어박혀 뒹굴뒹굴 굴러다니고 있었다.

그 순간 지연에게 전화가 걸려왔다.

-여보세요?

-... 어?.. 오빠다.

오빠... 나 좀 데리러 오면 안 돼요?....

벨 소리를 들은 진이 문을 열었다.

-얼씨구? 또 데려오네?

현은 가지고 있던 동전을 진에 이마에 적중시켰고 진은 그 자리에서 바로 뻗었다.

-또 데리고 온 거야?

시아가 현에게 다가왔다.

-시아야.. 넌 어떤 사람을 막 도와주고.. 챙겨주고픈 적이

있어?

-... 뭐래? 너 드디어 미친 거냐?-.. 모르겠다..당분간 여기서 지낼 테니깐 좀 챙겨줘

-그래.. 챙겨주는 건 뭐.. 어렵진 않지..또다시 아침이 밝고 지연은 머리를 감싸고 얼굴을 숙이고 있었다.

-저 기.. 회장님?

제가 왜 또 여기 있어요..?-뭐래? 지연씨가 옆로 오겠다 하셨구만

-그랬나?

-일단 알겠습니다..현은 지연에게 어제 있던 일을 설명했고 지연은 창피한 듯 외면했다.

-그래서.. 무슨 일이었길래..?지연은 현에게 자초지종을 설명했다. 서진의 무례와 자신이 거의 식모 취급을 받으며 살 와 왔단 예기까지 현에 앞에서 모든 일을 설명했다.

말하다 보니 서러웠는지 지연은 눈물을 흘렸고 현은 그런 지연을 다독여줬다.

-그럼 이제 어디서 지내는데..?-친구네?-.. 누구?-... 그러게요?

지연은 자신에게 친구가 없단 사실을 드디어 깨달았다. 잠시 생각하고 있을 때 현이 말했다.

-그럼 여기서 지내

-예?

현의 파격 제안 지연을 대리고 사는 것이었다.

지연은 고민했다. 아무리 그래도 같이 사는 건 좀 아니라 생각했는지 다른 방법을 생각했다.

-여기 시아랑 설연이도 사는데..그리고 너 여기서 살기만 하면 돼

건들진 않을 거니깐-... 그러면... 알겠어요.

-그래...그게 났지

어쩌다 보니 둘이 같이 살게 됐고 앞으로 얼마나 스펙타클한 일이 생길 줄 그 누구도 몰랐다. 다음날 출근길 현은 지연을 태우고 출근 준비를 하려 했다. 지연이 차를 타려는 순간 서진이 문밖으로 나왔다.

-어?

지연은 고개를 돌렸고 서진은 아는 척을 하려 했다. 현은 뭔가 곤란한 상황인 걸 깨닫고 지연의 얼굴을 돌렸다.

-지연 씨? 이건 잊어요..현은 곧바로 지연에 입술을 머금었다. 지연은 갑작스러운 입맞춤에 당황했다. 서진은 그 광경을 보고 놀랐다.

-지연 씨? 얼른 타요..

-아니.. 갑자기..

현은 지연을 차에 태웠고 서둘러 출발했다. 현은 얼굴을 가리고 운전을 했다.

-저 기... 회장님? 갑자기.. 왜 그런..

-.... 네 사촌..

-네?

-네 사촌 있었어.. 무시하느라 그런 거고...

-아...

현은 떨리는 목소리를 진정시키며 말을 이었다. 지연을 내려주고 나서야 가쁜 숨을 쉬었다. 심장이 터질 것 같았고 얼굴은 홍옥처럼 붉어졌다. 가까스로 진정하고 사장실로 들어가자 현은 온몸이 경직됐다.

-... 오랜만이네? 아기 여우.. 뭐.. 이젠 회장님이라 불러야 하나?

-너.. 여길..

장산범이었다.

현의 가족을 무참히 살해했던 그 장산범이 1000년이 지난 지금 현의 앞에 버젓이 살아 숨 쉬고 있었다.

-애인 생겼더라?

-닥쳐….

-가문에서 쫓겨난 비운의 아이….

그것도 모자라서 부모 형제까지 모두 죽고 혼자 남은 뭐.. 살아있는 게 더 놀랍지?

현의 얼굴은 증오와 원한으로 가득 찼다.

-근데 말이야.. 너희 정말로 사귀는 건 아니잖아?

-그래서 뭐..-네가 고백하게 되면... 그땐 내가 그 여자를 죽일지 몰라?

현은 당장이라도 누굴 죽일 것 같았다.

-그래... 오늘은 이만 갈게? 우산 좀 가져간다..

신주의 말대로 장산범의 부활은 완전치 않아서인지 온몸을 싸매고 돌아갔다. 장산범이 떠나고 현은 다리가 풀려 그 자리에 주저앉았다. 그때 증상이 시작됐다. 전보다 몇 배는 강한 통증이었다. 숨이 막히고 머리는 깨질 듯 아팠다. 때마침 진이 들어왔고 놀라서 지연을 호출했다. 하지만 이번엔 달랐다. 지연을 불러서 눈을 봤지만 전혀 나아질 기미가 없었다. 곧이어 현은 피를 토했고 의식을 잃고 쓰러졌다. 1시간 뒤 현의 의식을 되찾았다. 아가보단 회복됐지만 아직 두통은 사라질 기미를 보이지 않았다.

-야.. 너

-.... 장산범이 왔다 갔어..

-뭐?

모두가 일제히 현을 쳐다봤다.

-... 부활이 완전치 않은 건 확실해.. 정말로 온몸에 두건을 칭칭 감고 왔어..

그때 문이 열렸고 지연이 들어왔다.

지연은 현에게 다가갔고 현을 유심히 봤다.

-회장님 괜찮아요?

-어.. 잠깐 기가 허해졌나..?-야 면접은 내일로 미뤘다.

-그래... 고맙다... 현의 목소리엔 힘이 없었고 손이 떨리

는 게 육안으로 관찰될 만큼 힘들어 보였다. 이러한 것
들은 하루 종일 이어졌다.

다음날 현의 상태가 호전되어서 현은 면접장으로 향했
다.

-이번엔 스펙 좋은 사람들이 많이 들어오네?...

현이 면접서류를 훑어보던 중 낯익은 얼굴을 발견했다.
서진이었다.

-야.. 이 사람은 보류시켜

-왜?

-일단 상황 보고.. 면접이 끝나자 지연이 왔다.

-회장님.. 몸은 좀 어떠세요?

-어.. 많이 괜찮아졌어... 밥이나 먹으러 가자...

걷던 중 지연이 물었다.

-저.. 이젠 호칭 바꿔도 돼요?

-.. 뭐로?

-오라버니나 오빠?

-나쁘지 않네

얼떨결에 호칭이 바뀌었다.

-오빠 우리 계약 얼마나 지났어요?

-어... 한 4개월 정도?

-벌써?

현과 지연 모두 놀랐다. 시간이 이렇게까지 빨리 지나간
적이 없었는데 이렇게까지 지난 것에 모두 놀랐다.

-오빠 그럼 내 사진 좀 찍어서 가지고 있어

-왜?

그래야 사귀는 줄 알고 있을 테니?

-그래.. 지연이 포즈를 잡았고 현이 사진을 찍으려는 순간 현은 설연에 말이 떠올랐다.

한 달 전

-좋아한다라... 어떤 사람을 봤을 때 심장이 막 뛰거나 계속 보고 싶어 진다면... 그레 좋아하는 거야. 거기서 발전하면 사랑이고

다시 현재 현은 지연을 계속 바라봤고 생각했다.

--내가.. 널 좋아하는 거였구나.....

-어떻게 나왔어요?

-이지연... 지연이 현을 봤고 현이 지연에게 말했다.

-계약 종료하자..

-네?

-우리 썸 타자고.

정적이 흐른 후 지연의 얼굴도 덩달아 붉어졌다.

지연은 1달 전부터 자신을 챙겨주는 현을 볼 때마다 설렘을 느꼈다.

하지만 현은 자신과 급이 다르기에 계약이 종료되면 남으로 살 존재였기에 말을 하고 있지 않았다. 하지만 현의 발언으로 이젠 상황이 달라졌다. 서로가 서로를 좋아하곤 있었지만 선뜻 말하지 못한 것이었다.

지연이 말이 없자 현은 여기서 끝이라고 생각했다. 그러나 현의 예상과 다른 답변이 나왔다.

-좋아요..

-뭐..?

-회장님이 말한 거... 좋다고요..

현의 얼굴엔 화색이 돌았고 곧 힘든 표정 대신 해맑은 표정으로 웃었다.

집에 돌아와 현은 얼굴을 감싸고 앉아있었다. 아까 말할 때까진 좋았다만 막상 돌아오니 부끄러움이 몰려왔던 것이었다.

그 깨진 과 흑암이 들어왔다.

-... 야 너 왜 그러고 있냐..?

-그냥 가...

-너 뭔 일 있지?

그때 흑암 이현을 잠시 보더니 피식 웃으며 귓가로 다가와 속삭였다.

-잘해봐?

-야 너...-뭔데 뭔데 뭔데? 나도 알려줘!

흑암이 진에 목덜미를 잡고 조용히 나갔다.

-나도 알려줘야 어어... 한편 지연도 현과 같은 반응이었다. 얼굴은 붉어지고 베개에 얼굴을 파묻고 있었다. 다시 베개에서 고개를 들고 한참을 멍 때리다 얼굴이 붉게 지

고 다시 얼굴을 파묻었다. 다시 현으로 돌아와서 현은 계속 곰곰이 생각했다. 자신은 지연을 계속 사랑할 테고 그건 가문에 규율을 어기는 것과 같았다. 하지만 지금 현에겐가 문에 규율 따윈 중요치 않았다. 앞으로 자신의 삶을 바꿔줄 여자를 찾았으니 자신은 지연에게만 집중하 면 되는 것이었다. 현은 방에서 나갔고 지연의 방으로 향했다.

-지연아..?

곧 방문이 열리며 지연이 나왔다. 현은 지연에 얼굴을 보고 웃었다. 얼굴이 너무 붉었고 현을 똑바로 보질 못 해서였다.

-... 그게 그렇게 신경 쓰였나..?

-그럼 당연하죠!

회장님은 처음이 아니니깐 아무렇지도 않은 거고!

그때 현이 지연에 손을 잡고 자신의 가슴에 가져다 댔 다.

-나도 떨려.

내가 경험이 많아 보이나 본데 나도 처음이야.. 나도 떨 려 죽겠거든?

서로의 눈이 마주쳤고 2초간에 정적이 흘렀다. 지연과 현은 눈을 피했다.

-그.. 그럼 쉬어~?

문을 닫고 현은 주저앉았다. 그리곤 웃음을 지었다. 지연도 마찬가지로 방문에 주저앉아 웃음을 지었다. 잠을 청하려고 현은 침대에 누웠지만 잠에 들지 못했다. 지연도 마찬가지로 잠에 들지 못했다. 그렇게 서로가 잠들지 못하는 밤이었다.

회사에 출근한 현은 서진의 서류를 계속 살폈다. 스펙은 나쁘지 않았지만 지연 때문에 고민했다. 때마침 진이 들어왔고 서류를 보더니 말했다
-예야? 지연 씨 사촌이?
-어.. 하.. 뽑을까 말까?..-... 뽑아
어차피 관심 없잖아..... 그래 공과 사는 구분... 못하겠네...-일단 뽑고 나중에 생각해 봐-... 하.. 그래야겠네.. 어느 날처럼 지연은 모두의 시선을 받으며 일을 하고 있었다. 현과 열애설이 난 지 4달 되었지만 아직도 직원들의 눈초리는 따가웠다.
-자.. 주목하세요.
오늘부터 우리 마케팅 2팀에 인턴으로 근무할 오서진 때립니다.
오서 진이란 이름을 듣고 지연은 기겁했다. 떨리는 눈으로 뒤를 돌아보자 서진이 서 있었고 서진은 일부러 노린 듯 지연을 보고 인사했다.
-언니? 오랜만이야~?
-서진 씨 이 대리 아나 봐?

-아~사촌이에요.

-어~그러면 지연 씨가 서진 씨 옆에서 잘 알려주면 되겠네.

자.. 그럼 여기까지 하고 업무들 보세요? 팀장에 말이 끝나자 서진이 지연에게 다가갔다.

-언니 내가 왜 왔는지 궁금하지 않아?

지연은 서진을 무시했다. 마음 같아선 자리를 피하고 싶었지만 모두가 보는 자리이기에 무시했다. 눈에 독이 바짝 오른 서진이 지연에 귀에 다가가 말했다.

-언니 남자 친구이란 사람.. 여기 회장 이더라?

지연이 놀 고개를 돌리자 서진이 비웃으며 말을 이었다.

-내가 여기 왜 왔는지 궁금하지 않아?.. 언니 남자 친구인 그 사람.... 나한테 넘어올 것 같아서... 뭐.. 언니도 최대한 안 뺏기려고 노력해 봐~? 그래봤자 나한텐 안 될테니.

지연은 곧바로 회장실로 갔다. 회장실엔 현이 진과 커피를 마시며 대화중이었다.

-회장님!

-앗 뜨거워!

진이 놀라 마시던 커피를 뿜었고 현은 그런 진을 한심하단 듯 쳐다봤다.

-갑자기 왜?

-회장님이 오서진 뽑았어요?-... 어... 어떻게.. 알았... 현은

당황한 눈치였고 진 옆에는 어느새 이신과 설연이 자리를 잡고 열심히 관람을 하고 있었다.

-야... 내가 제 그럴 줄 알았다..

-내가 뽑으랬는데?

현 이진을 째려봤고 진은 현의 눈길을 슬그머니 피했다.

-야.. 청진.. 너 이따 보자?

-... 에라.. 현은 지연의 눈길을 피했으나 지연의 따가운 눈초리를 결국 봤다.

-그.. 지연아.. 잠깐 나갈.. 까?

현이 지연을 데리고 밖으로 나가 자초지종을 설명했다.

-그러니깐.. 오서진을 확실히 때 놓으려고 그랬다고요?

-그래...-아무리 그래도.. 언질은 해줘야죠?

-.. 미안해.. 현이 시무룩한 표정으로 고개를 숙였고 지연은 그런 현을 보며 웃었다.

-아.. 왜 웃어!

-그냥~? 귀여워서?... 지연은 입을 틀어막았다.

-너 지금 나보고 귀엽다 했다?

현은 곧바로 지연을 향해 말했다.

-뭐.. 내가 좋아하는 사람 보고 귀엽다고 하면.. 안 되나?-.. 혹시나 해서 말하지만.. 내가.. 오서진 보다가 반할 리는 절대 없어.. 지연은 현에 말을 신용하긴 어려웠지만 현의 표정과 말투가 진지했기에 한번 믿어보기로 했다.

-좋아요.. 내가 한번 믿어볼게요.. 다음날 회사 서진의 계

획이 시작되었다. 남사원들의 시선은 끊이질 않았고 서
진은 오히려 그 시선을 즐기는듯했다. 마침 현이 걸어왔
고 서진은 일부로 현 앞에서 넘어지는 척 연기했다.

-아야...-괜찮으세요?

-네..-다행이네요.. 이신.. 바래다 드려..

-내가?

-그럼 여기에 이신이 너 말고 더 있나?

-예예.. 알겠습니다 회장님..

-아.. 그리고

현의 서진을 불러 세웠고 서진은 밝은 표정으로 현을 쳐
다봤다.

-회사에는 격식을 차리고 오시죠?

아무리 편한 옷차림이라지만.. 이렇게 노출이 심한 옷은
다를 직원 듯이 보기에도 별로 좋지 않을 듯하네요?

그럼.. 이만.. 현이 지나간 자리엔 서진이 이를 악물고 서
있었다.

-지연 씨? 잠깐 대화 좀 할까요?

현은 서진을 가볍게 무시하고 지연에게 다가갔다.

-아.. 저 이것 좀 다 끝내고..

-지연 씨? 갔다 와~

-아.. 그럼.. 현이 지연과 잠깐 걸으며 말을 걸었다.

-나 잘했지?

-어휴.. 그 말이 그렇게 하고 싶었어요?

지연은 말은 모질게 했지만 현이 누구보다 예뻤다. 어제 했던 약속을 지키듯이 현이 오늘 서진에게 넘어가지 않아서였다.

-그래도.. 고마워요.. 나랑 한 약속 지켜줘서.

-난.. 네가 첫사랑이라서 그런가? 너를 놓아줄 수가 없다...

-근데 우리 아직 사귀는 거 아니죠?

-아직은 썸이지?

-그러면 썸 타듯 행동해요... 진짜 사귀는 거 같잖아요..

지연에 말에 현은 웃음을 터트렸다.

-뭐.. 아직 썸이 타고 싶나 봐?

-너무 진도가 빠른 거 아녜요?..

-그래.. 뭐.. 썸 타는 것처럼 해줄게.. 현은 얼마나 웃겼는지 눈에 눈물이고 일정도로 웃었다. 둘이 이렇게 재미나게 있을 때 서진은 계속 생각하고 있었다. 서진은 곧바로 자신에 엄마에게 전화를 걸었다.

-뭐? 그러니깐 지연이가 네가 다니는 회사 사장이랑 연애한다고?

-그렇다니깐?

-그럼.. 네가 그 남자 좀 뺏어라..

늙은 그 애보단 젊은 네가 더 좋을 테지.. 그 엄마에 그 딸이란 것처럼 지연의 고모도 서진과 같은 반응이었다.

-뭐.. 아무리 해도 되질 않으면.. 없애버려야지... 그날 저

녁 현의 일행 모두가 퇴근하고 다 같이 술자리를 가졌
다.

-아니 그래서.. 사귀는 거야? 썸 타는 거야?

-뭘 캐묻고 있어?

모두 현을 놀리는데 혈안이 돼있었고 현은 얼굴이 붉어
지며 말을 더듬었다.

-아니... 아직 썸이라고!

-그래서.. 사귈 거다?

-야!

모두들 현에 반응에 웃어댔고 현도 다 내려놓은 지 어느
새 같이 웃고 있었다.

분위기가 무르익고 현이 술에 취할 즘이 미술에 취한 지
연이 지연이 현을 바라봤다.

-.. 왜 그래?

지연이 현에 다리 위에 올라탔고 바로 잠에 들었다.

-... 야.. 예 술 약하네?

-기다려봐.. 좀 눕히고 올게..

-아니야.. 오늘은 이쯤 하자..

모두 서둘러 정리하고 각자 방으로 들어갔다. 현은 지연
을 안고 방으로 들어갔다. 지연을 눕히고 나가려고 하자
지연이 현에 손을 잡았다.

-오빠 아아....

-... 왜..

-가지 마아아... 옆에.. 있으면 안 되나 아아?...

현이 한숨을 내쉬곤 지연에 옆에 앉았다.

-내 부탁이면.. 다 들어주네..?

-.. 너 취했어.. 빨리 디비 자..

현이 지연에 얼굴을 만지자 지연이 현의 손을 살며시 만졌다.

-오빠.. 오서 진이랑 있지 마아.. 오빠는.. 내 건데...

현이 입가에 미소를 띠며 말했다.

-.. 우리 아직 안 사귀거든..? 그리고... 아무리 걔가 들이대도.. 난.. 너만 보여..

이 말에 지연은 웃음을 지고 잠들었다.

-.. 뭐.. 오늘 밤은 여기 있어야겠네..

현도 침대에 머리를 대고 잠들었다.

야심한 밤 현은 지연의 방에서 잠에 깼다. 문 앞에는 누군가가 서 있는 형상이 보였다.

-지연이니?

현이 고개를 돌리자 지연이 곤히 자고 있었다. 현은 정신을 차리고 일어났다.

-좋아 보이네?

-... 네가 여길 어떻게 와..

장산 범이었다. 순간 장산범이 달려오더니 현에 목을 움켜잡았다.

-이제.. 네가 그토록 보고 싶던 네놈 부모 곁으로 보내줄
게?

장산 범의 손이 점점 숨통을 조여왔고 현은 몸을 발버둥
쳤다. 그럼에도 장산 범의 손은 풀려날 기미를 보이지
않았다.

-잘 가? 여우.

누워 있던 현이 숨을 헐떡이며 일어났다. 다행히 꿈이었
던 것이다.

다음 날 아침 밤새 잠을 이루지 못한 현은 얼굴이 퀭한
채로 앉아있었다. 때마침 지연이 일어났고 놀라며 말했
다.

-회장님? 왜 여기 있어요?

-... 네가 있으라며.. 내 방 간다니깐 네가 잡았어...

-... 그랬나..?

현은 피식 웃으며 방으로 갔다.

-현이는?

-방으로 가던데요?

-야! 밥 먹어!

시아가 현을 불렀지만 응답이 없었고 시아는 현에 방으
로 들어갔다.

-야.. 너 뭐 하냐?

-나가려고.. 꿈자리가 뒤숭숭해서 기분전환 좀 하고 오련
다..

-혼자 가게?

-아니.. 지연이랑..

현의 얼굴을 본 시아는 직감적으로 뭔 일이 있었음을 알
곤 현에게 물었다.

-너 무슨 일 있지?

-... 꿈에 장산범이 나왔어..

-장산범?

-그래...

현의 꿈 이야기를 들은 시아는 한참을 그 자리에 서서
생각했다.

현과 같이 사는 이들에겐 모두 공통점이 있다. 바로 모
두 고아로 자랐다는 것 현과 현의 친구들의 부모들도 모
두 장산범 에게 죽임을 당했기 때문이다. 그런 장산 범
이 부활했고 이젠 자신들을 노리고 있기에 하루라도 긴
장을 풀 틈이 없어졌다. 시아는 모두에게 현의 꿈 내용
을 말했고 다들 시아와 같은 반응이었다.

-지연아.. 나갔다 올래?

-어디요?

-뭐.. 가고 싶은데 없어?-... 바다나 갈까요?

-바다?.. 그래.. 갔다 오자.

우리 나갔다 온다!

-어 아무도 신경 안 써~

현은 곧장 바다로 향했다. 차 안에선 현과 지연의 말소리가 끊이질 않았다.

-오빠? 나 어제 뭔 실수 안 했지?

-뭐.. 딱히 실수는 안 했고 내가 네 거라고 말했지? 아마

지연의 얼굴이 붉어졌다.

-내가?

-어 네가.

그래도... 거의 틀린 말은 아니지?

난 네가 하는 말이면 뭐든 하니깐..

그래도 우리 아직까진 썸이다..

-알았어~

1시간이 지났을 무렵 바다에 도착했다.

지연은 차에서 내려 온몸으로 바닷바람을 맞았다.

-오빠! 나 배고픈데 뭐 좀 먹고 구경할까요?

지연이 핸드폰으로 검색을 하려 하자 현이 핸드폰을 가져갔다.

-오늘은 핸드폰 금지~

-어?

-그러니깐 오늘은 나한테만 집중해

-알겠으니깐 그냥 줘요...

-안돼~

현과 지연은 모래를 밟으며 바닷길을 걸었다. 현의 퀭한

얼굴도 다시 밝아졌다.

-지연아? 여기 봐봐!

지연이 얼굴을 돌리자 현이 사진을 찍었다.

-원래 예뻐서 그런가.. 사진도 잘 나오네~?

-나 예뻐요?

-.. 알고 말하냐? 예쁘니깐 예쁘다 하지

-나 누가 예쁘다고 한 거 어렸을 때 빼고 처음인데..

-.... 앞으론 내가 불러줄게

-.. 말만 들어도 좋네요~?

-그래~.. 뭐.. 가끔 이러는 것도 나쁘진 않네..

-그럼 자주 오게요?

지연이 지긋이 현을 바라봤다. 어느새 둘은 손을 잡고 있었고 지연은 짓궂게 웃으며 현을 쳐다봤다.

-뭘 그렇게 꽉 잡고 있어요?~

어느새 현의 얼굴은 붉어졌고 놀라며 지연의 손을 놨다. 현이 손을 세게 놔서인지 지연은 뒤로 넘어지려 했고 현이 지연을 잡고 같이 물에 빠졌다. 서로가 홀딱 젖었고 현과 지연은 서로를 바라보더니 같이 웃었다.

-근데.... 우리 옷 다 젖었는데..

현이 지연을 때리곤 곧장 어디론가 갔다. 잠시 걷다 보니 한 호텔이 나왔고 현은 안으로 들어갔다.

-잠깐 있어.

잠시 후 현이 지연을 데리고 호텔로 들어갔다.

-씻으면 돼

지연은 당황한 기색이었으나 이내 욕실로 들어갔다. 몇 분 후 씻고 나와보니 입고 왔던 블라우스는 바닷물에 축 축하게 젖어있었다.

-입을 게 없는데...

지연은 옆에 있던 가운을 입고자 멀리에 있던 현을 불렀 다.

-저기.. 오빠?

물기가 뚝뚝 떨어지는 머리카락을 닦으며 지연이 말했 다.

-나 입을 옷 좀 줘요...

현은 아무런 말이 없었고 지연은 어리둥절하며 그런 현 을 다시금 불렀다.

-오빠?

-너.. 진짜 작정한 거야?

-..? 왜요?

-네가 이러고 있는데 내가 무슨 말을 해..

나 유혹하려고 그래?

지연이 자신의 몸을 보며 당황하며 말했다.

-아, 아니나 진짜로.. 그, 그런 게 아니라

옷이 다 젖어서..

당황해하는 지연의 모습을 보곤 현이 웃었다.

-장난이야~뭘 그렇게 당황해..

-... 정말..

-옷 가져올게, 기다려.

제3화 유혹

지연의 옷을 가지러 나온 현은 차 트렁크를 잡고 서있었다.

-아.. 위험한데?

곧 옷을 만들어낸 다음 다시 방으로 올라갔다.

-자, 여기 옷

지연이 옷을 갈아입는 동안 현이 의자에 앉았다. 이젠 지연을 향한 자신의 마음을 부정할 수가 없었다.

-오빠.. 이제 들어가

-어.. 그래..

현의 머릿속은 복잡해져있었다. 한쪽에는 장산범, 한쪽에는 지연. 두 생각이 머릿속을 계속해서 맴돌았다. 섣불리 말을 할 수도 없었다. 지금 지연에게 고백을 하면 장산범에게 자신이 무척 불리한 입장이 되기 때문이었다. 현이 샤워를 하곤 욕실 밖으로 나가자 침대에는 지연이 잠들어있었다.

-... 피곤했나?

-어 왜?
-나 오늘 안 들어간다.
-거기서 자개?
-그럴 거니깐 그냥 알아서들 먹어
-그려
현이 진에게 연락을 하고 잠든 지연에 옆자리에 앉았다. 그리곤 얼굴을 가린 지연의 머리칼을 치웠다.
-... 예쁘네..
정말 작정했나..?
날이 밝자 현과 지연은 서둘러 출근 준비를 했다. 다음 날이 출근 날인지 모르고 숙소에서 하룻밤을 잔 것이었다.
다행히 몇 분 안 남기고 도착해 지각은 면했다.
-이현이 웬일로 지각을 할 뻔하냐?

이신이 현의 뒤에서 말했다.
-어제 무슨 일은 없었고?
-.. 딱히?
넌 설연이랑 잘 있었냐?
-나야 뭐..

현이 이신과 대화를 하고 있을 때쯤 지연은 심기가 점점
더 거슬려졌다.
-서진 씨? 이걸.. 이렇게 처리하시면 안 되죠..
-그냥 언니가 해줘..
-서진 씨? 회사에서는 말 가려서 하세요.
-예 예 대. 리. 님
서진의 태도는 갈수록 건방져졌다. 유일하게 지연에게만
반항적인 태도를 보였고 다른 사람에게는 순종적인 태도
를 보였다.

-이제 좀만 더 꼬시면 넘어올 거 같아.
-그래.. 잘 꼬셔서 엄마 호강 좀 시켜줘라
--이제.. 좀만 더하면 넘어온다..
그러나 서진의 예상과 달리 현과 지연은 점점 더 가까운
사이가 되어갔다. 전과 달리 그냥 반쯤 연인과 같았다.
-이젠 증상 아예 안 오네?
-정말.. 각인의 효과인 거야?

-아마도 그런 것 같다..

현의 증상은 빈도수가 줄더니 요즘은 아예 증상이 나타나질 않고 있다.

-.. 일단 지연이나 보고 와야 겠다..

현이 나가고 난 뒤 진과 이신이 현을 멍하니 바라봤다.

-쟤.. 요즘 많이 바뀌지 않았냐?

-그러게.. 사람이 바뀌면 죽는다는데..

-우린 사람 아니야.

-...그러네.

지연에게 가는 현의 발걸음은 무척이나 가벼웠다. 모두가 알아챌 만큼 차갑고 날카롭던 현의 성격은 부드러워졌고 얼굴 표정도 많이 밝아졌다.

-지연 씨?

-.. 회장님? 지금은 업무 중이니 이따가 오실래요?

지연의 이 한마디에 현의 입이 삐죽하고 튀어나왔다.

-... 시아야.. 쟤 왜 저래?

-만월아..나도 몰라..

이현 미쳤나 봐.

-이사님들?.. 제발 조용히 좀..?

현이 언짢은 표정으로 말했지만 미소가 가득했기에 시아와 흑암은 현을 놀리는 표정으로 바라보며 갔다.

-지연 씨? 저랑 커피 한 잔 어때요?

지연이 현을 바라보며 싱긋 웃었다.

-되겠어요~?

지연이 일어서서 어디론가 향했고 현이 그 뒤를 쫄래쫄래 쫓아갔다. 이윽고 아무도 없는 곳에 도착하자 지연이 현의 귀에 대고 속삭였다.

-업무 끝나면 놀아드릴게요~

-심심해 죽겠는데.. 뭐, 참아보지 뭐.

이제는 거의 사귀는 수준을 넘은 듯했다. 정말로 하나의 연인과 같았다. 현은 정말로 사귄다는 느낌이 들었고 이 감정은 현만 느끼는 것이 아니었다.

-... 잘생겼단 말이야..?

-또 유혹하는 거야..?

-이쯤 되면 슬슬 고백할 때 되지 않았어요?

지연의 이 한마디에 현이 우뚝 멈춰 섰다.

-걱정하지 마...

뭐 바라는 거라도 있나 봐?

-아니...

우물쭈물하는 모습에 현이 웃었다.

-조금만 더 참아

살짝 못 미더워하는 지연이었다. 그래도 현의 마음을 확실하게 확인했으니 지연의 입장에선 나쁘지 않은 선택이었다.

-이제 업무 보셔야지요? 이지연 대리님~?

이따 봐~

현이 지연의 귓가에 대고 조용히 말했다.

--어?.. 왜 사이가 좋아 보이지..?
서진 혼자 안절부절못하였다. 계획이 어긋난듯해 불안한
눈치였다.

제4화 운명

문밖으로 아비의 목소리가 들려왔다.

문을 열자 아비에게 달려가던 어미의 피가 사방으로 흩뿌려졌다. 거대한 흰 발이 형제자매의 머리를 으깼다. 사방으로 흩뿌려진 피로 인해 피비린내가 집안에 진동했다. 막냇동생을 껴안고 두려움에 떨던 그 아이의 목덜미를 장산범은 들어 올렸다. 오라비와 떨어진 동생을 장산범은 한입에 삼켜 넣다.

–걱정하지 마.. 네놈도 곧 보내줄 테니깐.. 장산 범이 앞발을 들어 올렸다. 어린 현은 두 눈을 질끈 감았다. 잠시

후 현이 눈을 떴을 때 하늘이 도운 건지 장산범은 나가 떨어져있었다. 푸른 불꽃이 장산 범을 뒤덮었다.

-현아! 받아.

현의 아비인 석연이 장산 범을 밀쳐내곤 자신의 여우구슬을 넘겨줬다. 현은 고개를 저으며 물러났다. 석연은 현에게 다가가 현의 어깨를 잡고 눈을 응시했다.

-제발.. 너라도.. 살아야 돼.. 말이 끝나자마자 장산범이 석연을 덮쳤다.

-아.. 부자상봉은 끝났나 봐?

순식간에 석연의 팔을 잘랐고 석연의 피가 분수처럼 뿜어져 나왔다.

-얼른 가라고!

현이 뒷걸음질 치던 그때 현의 어미인 연화가 비틀거리며 현을 붙잡았다.

-현아.. 우리 아들... 제발.. 가..

연화의 여우구슬도 어느새 현의 손에 있었다.

여우구슬을 넘긴 연화가 현을 밀쳤고 현은 수풀사이로 날아갔다. 다시 봤을 땐 장산범과 석연, 연화의 몸은 붉은 피로 뒤덮여 있었다. 다시 부모에게 가려했지만 연화의 결계로 인해 집으로 들어갈 순 없었다. 곧 사흉수까지 합세해 현의 부모를 뒤덮었다. 현은 뒤를 돌아선 앞만 보고 계속 달렸다. 나뭇가지에 온몸이 긁혔고 넘어지기를 반복했다. 현은 달리다가 돌부리에 걸린 건지 넘어지곤 계속 아래로 굴러 떨어졌다. 손을 뻗어 나무뿌리를 잡았지만 낭떠러지에 매달려 있었다. 온 힘을 다해 낭떠러지를 오르려 했으나 손에서 힘이 풀리며 그대로 추락했다. 정신을 차려보니 아침이었고 저 멀리서 흐릿하게 누군가 달려오는 모습을 보며 현은 그대로 정신을 잃었다. 눈을 뜨자 방안의 천장이 보였다. 꿈이었다. 온몸엔 식은땀이 가득 흘렀고 가슴은 무거운 쇳덩이가 짓눌르는 듯 무거웠다. 잠들었던 순간이 전혀 기억나지 않았고 얼마나 잠들어 있었는지도 가늠하기 힘들었다.

-어? 드디어 일어났네.

진이 커피를 마시며 방 안으로 들어왔다.

-너 사흘동안 누워있던 거 알아?

-야! 청진!

누군가가 진을 부르더니 현의 방 안으로 들어왔다.

-.. 백이사님..

-백천- 백룡이며 리센트의 대표이사 중 한 명이다. 진네 5남매 중 첫째이며 현과도 매우 친밀한 관계이다.

-오라버니, 현이 일어났어?

-어, 방금.

-흑연- 5남매 중 둘째이며 흑룡이다. 마찬가지로 리센트의 대표이사 중 한 명이다.

-4명 다 온 거야?

-어...... 너 누워있는 동안 여기서 놀고먹고.. 아주진짜..

-지연인..?

-출근했지 뭐.. 오늘까진 쉬어. 너 행색이 말도 아니다.

진의 말이 끝나기도 전에 현은 채비를 하고 사라진 지 오래였다.

-... 형.. 쟤 미쳤나 봐..

-오빠들... 현이 오라버니 인간에 갑자기 미쳐가지고..

현이 회사에 도착하자 직원들의 술렁이는 소리가 들렸다.

-야.. 너 왜와?

이신과 흑암이 현에게 달려왔다. 이신은 어리둥절했지만 흑암은 현을 훑어보더니 알았다는 듯 웃었다.

-천호가 인간에게 미쳐가지고.

-.. 왜?

-너 지금 지연 씨 보러 나온거지?

이신도 알아채곤 웃었다. 요괴가 인간에게 목매는 상황이 우습기도 하지만 이신은 그 감정이 어떤 건지 다른 이보 단 더 잘 알았다. 현은 곧장 지연을 찾아 헤맸다. 사무실 주변부터 회사 전체를 찾아 헤맸다.

-... 오휴야.. 우리 사장님 왜 저러냐?

-.... 시아한테 물어봐.. 난들 어떻게 아니?

현의 처음 보는 모습에 이사회는 물론 전 직원이 술렁였 다. 현은 정신이 팔려선 아무런 시선도 신경 쓰지 않고 지연을 계속 찾아 헤맸다. 한참을 찾아 해맨끝에 회사 카페에서 지연을 찾았다. 거친 숨을 고르며 헝클어진 머리를 정돈하고 조심스레 다가갔다. 하지만 어째서인지 다가가질 못했다. 현재 상태에서 감정을 주체하긴 너무 힘들어 보였다. 감정을 억누른 체 현은 발걸음을 돌려 집무실로 향했다. 하지만 그런 자신을 지연이 봤을 것이라곤 전혀 예상하지 못했다.

-지연 씨 안 만났어?

현의 얼굴은 매우 붉었고 흑암은 뭘 봤는지 현을 모른 체했다. 무언가 이상한지 현이 뒤를 돌아보자 지연이 서 있었다.

-회장님? 집무실로 가시죠?

-현아..? 파이팅

집무실로 돌아오자 현은 벽에 붙어 지연을 바라봤다. 지연의 눈에는 눈물이 고여 있었고 그것을 본 현은 당황하며 어쩔 줄 몰라했다.

-야.. 너 왜 울어..?

-먼저 사람 걱정시킨 새끼가 누군데..

지연의 마음을 알아차린 진 이미 오래였지만 장산범의 말이 계속 맴돌아 선뜻 다가가질 못하였다. 그러나 생각과 행동은 전혀 정반대였다. 이미 울고 있는 지연을 몸은 안아서 다독여준 지 오래였다. 현은 놀라 안고 있던 손을 빼려 했지만 왠지 손을 빼기가 싫었다. 둘은 바닥에 주저앉고 현은 지연의 머리를 쓰다듬으며 달래주었다.

-그런데.. 우리 아직 썸인데 스킨십이 너무 과한 거 아니

에요?

현은 당황하며 아무 말 못 했다. 10초간 정적이 흘렀다 지연이 먼저 웃으며 현을 바라봤다.

-야.. 놀리는 거야?

-네 괘씸하지고 한번 놀렸어요.!

-...미안해.. 기력이 없나..? 왜 그러지?

현의 사과가 이어졌다. 지연에게 미안해서인지 말이 더 나오지 않았다.

-야! 이현!

시아와 설연이 사장실 문을 박차고 들어왔다.

-넌 인마 깨어났으면 얼굴이라도 비쳐야지!

시아의 잔소리가 현의 귀에 직격타로 꽂혔다.

-어쨌든.. 여기 있잖아?

-이놈시키를 그냥.. 곧이어 진, 흑암, 이신도 들어와 시아에게 합세했다. 퇴근길 현이 무사히 걸어가는 모습을 본 사람은 단 한 명도 없었다.

늦은 밤 현에게 전화가 왔다. 서류정리를 하고 있던 현은 가볍게 무시했다. 하지만 전화는 계속해서 울렸고 짜증이 났던 현은 전화를 받았다.

-여보세요? 짜증이 섞인 목소리로

전화를 받자 핸드폰 너머로 익숙한 목소리가 들려왔다.

-얀마! 왜 이리 전화를 안 받아?

신주였다. 현의 등엔 식은땀이 흘렀고 동공은 심하게 흔들렸다.

-그리고 할아비가 전화를 하면 말을 이쁘게 해야지 어디서 배워먹은 싸가지야?

-할아버지가 가르쳤는데?

현의 말에 신주도 할 말이 없어졌는지 말을 바꿨다.

-내일 6명 다 내려와 그리고 네놈이 환장한다는 여자도 같이. 생전 그러지 않던 놈이 여자에 미쳐가지고..

.-예 알았으니깐 전화 끊습니다.

현이 전화를 끊자 진이 들어왔다.

-할아버지가 오라지?

-너한테도 전화 왔어?

-어, 지연 씨도 오라지?

-그러래.. 정체 들키면 어쩌려고...

-설마... 들키진 않겠지.

서진의 집 서진은 담배를 피우기 위해 집밖으로 나왔다. 갑자기 거센 바람이 불더니 서진의 앞에 거대한 남자가 서있었다. 서진은 놀라 뒤로 넘어가며 그 남자와 눈이 마주쳤다. 그리곤 남자의 목소리를 듣더니 정신을 잃고 쓰러졌다. 한참 후 정신을 차려보니 남자는 온데간데없었다. 그리고 머릿속에 이 말만 맴돌았다.

--이지연.. 네 사촌을 죽여...--

날이 밝자 누군가 현의 방을 두드렸다.

-오빠... 저 좀 도와주셔요....

현이 문을 열자 지연이 다 젖은 채로 서 있었다.

-... 너 왜 다 젖었어?

-샤워기가 이상해요...

현은 욕실로 향했고 샤워기를 봤다. 샤워기엔 아무 이상 없어 보였다. 하지만 샤워기를 틀자 물이 사방으로 뿜어져 나왔다. 샤워기를 들고 있던 현과 옆에 있던 지연까지 둘은 물에 흠뻑 젖었다.

-... 고장 났네..?

현이 지연을 향해 돌자 지연의 흰옷이 젖어 속살이 비치고 있었다. 현은 놀라 황급히 고개를 돌렸고 지연은 어리둥절하다가 깨닫고 황급히 뒤돌았다.

-.. 그... 샤워기는 내가 고쳐 놓게...

현은 나가면서 가운을 걸쳐주곤 나왔다. 현이 나가자 지연은 수건에 얼굴을 파묻곤 주저앉았다. 현도 나가서 매한가지로 주저앉았다. 얼굴을 감싸고 옅은 비명을 질렀다. 몇 분 뒤 지연이 나오자 평상복으로 갈아입은 현이 서 있었다.

-오늘 어디 가시나 봐요?

-준비해, 너도 가야 돼.

-나도?

곧이어 이신이 방문을 두드리고 들어왔다.

-차 대기시켰어. 가자.

1시간쯤 가다 보니 사유지라고 쓰여있는 큰 대문이 보였다. 기사가 대문을 열자 계속해서 길이 이어졌다.

-우리 어디 가요?

지연이 현에게 물었다.

-할배한테.

30분쯤 더 가니깐 오두막이 보이기 시작했다.

도착하자 모두들 오두막으로 들어갔다. 지연은 두리번거리며 은근슬쩍 현의 손을 잡고 들어갔다. 들어가니 삿갓을 쓴 노인이 앉아있었다. 그 노인의 온몸에선 신비로운 기운이 뿜어져 나오고 있었다.

-야 이놈들아.. 온단지가 언젠데 이제와?

-원래 저래..

현이 지연의 귀에 대고 속닥였다.

-자... 거기 아가씨가 우리 현이가 미쳤다는 분이지?

-할아버지... 아니지.. 환장하지

-... 허이고? 미쳐가지곤..

신주가 현에게 지팡이를 휘두르며 말을 이었다.

-자... 현이랑 아가씨? 와서 앉아봐.

신주 앞에 현과 지연이 앉았고 신주는 둘의 오른쪽 손을 가져다 손목중앙에 침을 꽂았다. 그위로 손을 올리더니 침에서 분홍빛의 연기가 올라왔다.

-.. 얼레? 너희 아직 안 사귀냐?

-... 그런데요?

신주가 현의 옆으로 가 속닥였다.

-아니 이 화상아.. 연애도 안 하면서 뭔 연애운을 봐달래?

-그냥? 어떻게 되나 하고?

신주가 헛기침을 하며 다시 자리에 앉았다.

-어.... 보니깐... 앞으로 두 사람이 잘만하면 가능성은 무궁무진해.

신주가 지연을 보더니 말을 이어나갔다.

-아가씨.. 고마워요.... 저 짐승 사람 만들어 줘서.

지연은 현을 보더니 싱긋 웃으며 신주를 봤다.

-우리 회장님이 잘해주시긴 하죠?

현도 지연을 보며 입가에 미소를 지었다. 그러나 잠시 후 신주를 뚫어지게 쳐다봤다.

-... 오휴야 이 아가씨 좀 구경 좀 시켜드려라.

-오휴? 걘또 왜 여기있어?

-조사할 거 있대.

넌 그리고 잠깐 나와라... 너희들도.

신주가 현을 포함한 진, 시아, 흑암, 설연, 이신을 데리고 밖으로 나갔다. 밖은 이미 어둑어둑해져 있었다.

-현이는 왜 나오라 했는지 알 거야?

-점괘.. 조작된 거지..?

-조작은 아니야

다만..... 지연이라고 했나?

-그런데?

한참을 고민하다 신주는 무겁게 말을 꺼냈다.

-너희에 관한 건 조작은 아니야.. 허나

-하나 뭐?

빨리 말해!

-일단 미래를 누설하면 능력이 박탈되는 건 알지?... 지켜.. 그 방법밖엔 없어.

현의 오만가지 생각이 교차되었다.

-방법이... 그것뿐이야?

-그걸 네가 알아나가야 해..

-잠깐.. 그럼 지연 씨가 죽을 수도 있어?

시아의 말이 끝날 때쯤 화살이 날아왔다.

-유시아!

진이 쓰러지는 시아를 잽싸게 붙잡았다. 수풀사이로 검은 형체가 달아나고 있었다. 현이 근처에 나뭇가지를 들고 휘두르자 나뭇가지가 검이 되어 현에게 들렸다. 현이 빠르게 달려가 달아나는 형체의 다리를 베었다. 검은형체는 비명을 지르며 주저앉았다. 곧 현이 형체의 목에 칼을 가져다 대었다. 형체를 확인하려 할 때 무언가 빠른 속도로 현의 복부를 가격했다. 검은형체는 그사이에 사라지고 없었다. 대신 그 자리엔 다른 무언가가 서있었다. 몸

에선 살기가 뿜어져 나왔고 손에는 2m는 족히 돼 보이
는 장검이 들려져 있었다.

-현아! 물러서라!

그놈 사흉이야!

궁기였다. 사흉 중 가장 강하며 장산범의 오른팔이라고
불리는 자였다.

-네가 이현이지? 옆엔 청진이고?

진도 어느 순간부터 언월도를 들고 서있었다.

-한 번에 와봐

궁기의 말이 끝나기도 전에 진이 뛰어올랐다. 언월도를
궁기를 향해 내리 쳤을 때 궁기는 그 자리에 없었다.

-진아!

신주가 진을 불렀다. 진이 뒤를 돌아봤을 때 궁기가 진
의 뒤통수를 강하게 내리쳤다. 현이 잽싸게 달려와 궁기
의 팔을 베었지만 궁기는 별 볼일 없다는 듯이 현을 집
어던졌다.

-오늘은 이쯤 하지?... 잘 있어.

이 말을 남기고 궁기는 온데간데없이 사라졌다. 순간 현
은 불길한 예감이 들었는지 오두막 쪽으로 달리기 시작
했다.

누군가가 오두막을 두드렸다.

- 내가 나갈게..

곧 오휴의 비명소리가 들렸고 지연은 황급히 현관 쪽으로 나갔다. 현관에 닿자 지연은 온몸이 얼어붙었다. 2m는 돼 보이는 거구에 눈빛만 봐도 공기가 무거워지는 기세에 지연은 주춤거리다 넘어졌다.

-네가 이지연이지?

이현 여자친구고?

-그건... 아직 아닌데...

겁먹은 나머지 말도 나오지 않았다.

-걱정 마? 죽이진 않을 테니...

지연의 눈 주위를 날카로운 손톱으로 만지고는 손을 치우더니 순식간에 목을 졸랐다.

-그런데... 너무 죽이고 싶은데...

문이 부서지며 현이 지연의 목을 조른 손을 칼로 베었다. 그러나 잘린 손은 다시 재생되었다. 현은 지연을 들어 자신 뒤에 숨겼다.

-우리 둘 문제인데 그럴 필요 까진 없지 않아?

장산범?

장산범이 비웃듯 웃어댔고 현을 응시했다.

-궁기는 잘 만났나?

-좋은 만남은 아니었지?

-... 그럼 됐어

또 보자고? 여우

말이 끝나자 장산범은 온데간데없이 사라졌고 뒤를 쫓았

지만 흔적도 보이지 않았다.

-지연이 좀 눕여야 할 거 같아.

현이 지연을 들어 방으로 들어갔다. 얼마나 지났을까? 지연이 깨어났다. 지연의 목엔 손자국이 남아있었다. 현이 일어난 지연을 다시 눕혔다.

-괜찮아?

아무 일 없듯이 말을 했지만 지연의 눈에는 아직 피가 흐르는 현의 몸이 보였다.

-몸 왜 그래요?

현이 당황하며 말을 더듬었다.

-그..... 게 오다가 어디 부딪혔나 봐..

-정말?

지연이 못 믿겠다는 눈빛으로 현을 쳐다봤고 현은 슬그머니 시선을 돌렸다.

-정말로..

현은 지연의 머리를 쓰다듬으며 지연 몰래 목에 자국을 없앴다.

-회장님.. 우리 정확히 무슨 관계예요?

정적이 흐르고 현은 또다시 당황했다.

지연과의 관계를 아직은 명확히 정하지 않기도 했고 자신의 정체를 모르기에 섣불리 정할 수도 없었다.

-... 지연아.. 내가 만약 인간이 아니면 어떻게 할 거야..?

지연은 잠시 생각하다가 현의 손을 잡았다.

-난.. 상관없어요.. 회장님이 사람이든 요괴든 난 다 상관 없어요..

현의 눈에서 눈물이 흘렀다. 전혀 예상하지 못한 발언이었다.

-왜 울어요...?

-아니...고마워서...

나가볼게..

현은 방에서 나가자 땅바닥에 주저앉았다.

-.....내가 쟤 때문에 몇번을 주저앉는지 모르겠네...

-잘 하는 짓이다..

신주가 차를 들고 현을 찾았다.

-...얘기좀 하자

신주가 상으로 현을 대려갔다.

-...현아..저 사람이 그리도 좋니?

-...그런가 보다....

현이 쓸쓸한 표정으로 차를 들이켰다.

-내가 구미호가 아니였으면....

-그럼 저 사람이랑 잘될수 있을거 같니?

신주의 말이 정곡을 찔렸는지 현은 아무말도 할수없었다.

-...모르겠어...

먼저 들어갈게..

현은 지연의 방으로 향했다.

-...저놈 진짜 미쳤네?

-그런거 같지?

-흑암아 넌 애인 없니?

-독신이야

-그러냐?

-....할배가 어릴적 말했던 여우설화의 주인공이....현이였
구나..

제5화 현의 마음

현은. 지연의 방으로 들어가 지연의 옆에 앉았다. 다행히 목을 졸린 자국은 없어져 있었다. 곧 현은 여우구슬을 꺼내 지연의 가슴팍에 올려놓았다.

-지연아... 오늘 장산범을 만난 건 잊을 거야...

현이 중얼거렸다. 여우구슬에서 푸른 연기가 나오더니 지연의 몸으로 흡수되었다.

-고마워...... 너 덕분에 내 삶이 완전히 바뀌었어...

.... 좋.. 아해... 이젠 확실해... 좋아해 이지연... 연인으로서.

현은 조용히 방에서 나왔다. 현이 지연에게 고백했을 때.. 지연은 깨어있었다.. 다시 잠을 청해도 잠이 오질 않았다. 현이 한 그 한마디가 너무 좋아서 지연은 잠을 잘 수가 없었다. 잠을 못 잔 건 현도 마찬가지였다. 두 명 다 쉽사리 잠에 들기 힘든 밤이었다.

아침이 밝자 서둘러 갈 준비들을 했다.
-밥 먹고 가지..
-됐어.. 출근해야 돼
-그래... 잘들 가라.
아가씨.. 우리 현이 좀 잘 부탁해요..
-걱정 마세요 제가 옆에서 잘 챙길게요.
-그래... 가라
바로 회사로 가니 출근시간에 딱 맞았다.
-현아 백화점에 진상 왔데. 나랑 시아가 가볼 테니 올라가 있어
진이 시아와 리센트 백화점 지부로 갔고 나머지는 각자 업무를 보러 갔다.
-지연 씨? 이거
현이 지연에게 버튼이 달린 팬을 주었다.
-이게 뭐예요?
-위험할 때 한번 눌러 그러면 내가 그쪽으로 갈 거야.
-전용 보안관인가?

-... 오늘 내가...

현이 말을 할 듯 말 듯 했다. 지연은 알지 못했기에 계속 어리둥절했다.

-이따 말할까요?

-그래.... 그러자...

지연이 가고 현은 그 자리에 서서 혼잣말을 했다.

-오늘 할 말 있다고...

현은 머리를 싸매고 사장실로 들어갔다. 안에선 흑암이 만월, 해신과 커피를 마시고 있었다.

-어디.. 고백은 하셨나?

-야... 닥쳐..

현의 강렬한 눈빛에 해신과 만월은 고개를 슬그머니 돌렸고, 흑암은 현을 보며 해탈한 표정으로 웃었다. 곧이어 이신과 설연도 들어와 흑암과 같은 반응을 보였다.

-흑암.. 쟤 어떻게 될 것 같아?

-신주 할아버지한테 못 들었어? 미래를 누설하면 능력 뺏기는 거.

한창 수다를 떨고 있을 때 누군가 자연스럽게 들어와 착석했다. 그자는 얼굴을 천으로 싸매고 있었다.

-... 누구세요?

설연이 어리둥절하며 물었다. 그러나 아무 말도 없었다.

-이렇게 계시면 안 됩니다. 나가시죠?

-... 이름만 말하면 되나?

익숙한 목소리였다.

-... 너 누구야...

-나?....... 장산범

손에서 거대한 참격이 날아갔다. 참격은 현을 향해 날아
갔다. 현은 가볍게 피했고 참격은 유리를 깨고 날아갔다.

-아깝네?

죽이기 정말 까다롭단 말이야...

장산범이 현을 보더니 미친 듯이 웃기 시작했다. 그러곤
손을 앞발로 변화시키더니 현을 향해 내리쳤다.

-이현!

해신이 손에서 불구슬을 만들어 장산범에게 집어던졌다.
장산범은 가볍게 피하곤 책상을 집어던졌다. 해신은 정통
으로 맞곤 만월과 부딪혀 저 멀리 날아갔다.

-... 시시하게.....

기척을 느끼지 못했는지 장산범은 현의 일격에 자빠졌다.

-집중해..

귀는 어느새 여우의 형태를 띄고 있었고 한쪽손은 여우
의 앞발로 변해있었다.

-야... 아직 애인한테 무슨 일이 있는진 모르나 봐?

현이 멈칫했다.

-.. 지연이에게 뭔 짓을 한 거야..

-아 내가 아니라 그년 사촌이 그럴 거야... 어젯밤 나랑
눈을 마주쳤거든.... 어디 한번 잘 지켜봐? 지금 쯤이면

만났겠네...

-야!

현이 앞발을 휘둘렀을땐 이미 장산범은 사라지고 없었다.

때마침 팬에서 진동이 울렸다.

-뭐야? 왜 이래..

-... 옥상이야!

현이 문을 박차고 옥상으로 뛰었고 현의 뒤를 이신과 흑
암이 따랐다.

제6화 지연과 서진

지연이 어느 때와 똑같이 평소처럼 업무를 보고 있었다.
그때 서진이 지연을 향해 다가왔다.
-언니 나랑 얘기 좀 해요.
서진이 지연에게 얘기 좀 하자며 지연을 사무실밖으로
끌고 나갔다. 서진은 계속 걸었고 지연은 그런 서진을
계속 따라갔다. 서진은 계속 걷다가 옥상으로 들어갔고
지연도 서진을 따라 옥상으로 들어갔다.
옥상에 들어서자 서진이 문을 잠갔다.
-언니... 이제 우리 회장님 좀 포기해요.

지연은 어이가 없다는 듯 서진을 쳐다봤다.

-.. 서진아.. 그게 무슨 소리니?

-말 그대로 내가 언니대신 회장님이랑 사귀겠다고요. 얼굴로보든 몸매로보든 내가 언니보단 뛰어난 거 같으니..

갑자기 서진의 한쪽눈이 붉어지며 서진에게만 목소리가 들렸다.

---죽여.... 여기서 밀어... 저년의 것을 뺏어야지... 이현 옆엔.. 네가 더 잘 어울려...

지난번 만난 남자의 목소리가 서진의 머릿속에 맴돌았다.

-언니... 언니가 저 사람이랑 만나서 뭘 할 수 있을 거 같아? 아.. 저 사람도 죽이게? 하여튼.. 우리 언니.. 사람 못 죽여 안달 난 것처럼...

지연은 가까스로 진정하고 있었다. 그러나 서진은 계속말을 이어나갔다.

-언니 언니가 왜 혼잘까? 언니 옆에 있는 사람들은 모두 죽어 그러니깐 내가 언니 것도 다 뺏는 거고...

서진은 지연의 머리를 때리며 계속 말했다. 지금 서진은 자신이 앞으로 현의 옆자리를 차지할 기대감에 흥분하고 있었다.

-할 말 다 끝났지? 먼저 갈게..

지연은 서진을 무시하곤 문으로 향했다. 그러나 지연은 아직 서진이 문을 잠가놓았는지는 몰랐다.

-어딜 가시려고? 나 아직 할 말 다 안 끝났는데?

지연은 뒷주머니에서 현이 주었던 볼펜의 버튼을 눌렀다.

-그래서 할 말이 정확히 뭔데?

-헤어지라고

마침 회장님도 언니보다 내가 더 좋은 거 같던데?

지연은 갑자기 웃음을 터트렸다.

-야 오서진.. 김칫국 마시지 말고..

서진은 하나디도 못했던 지연이 이리 말하는걸보곤 놀랐다.

-나도 이제 지켜야 할 건 지킬 거야.. 그러니깐 제발.. 그만해

서진의 침묵이 이어졌다.

--... 그냥 열쇠를 줘버려....

남자의 목소리가 머릿속에 울리더니 서진은 영혼 없는듯한 모습으로 지연에게 열쇠를 건넸다.

-.. 앞으론.. 업무 외엔 절대로 나 찾아오지 마

회장님도.. 찾지 말고..

지연이 서진에게 마지막말을 전하곤 그대로 문을 향해 걸어갔다.

곧이어 정신을 차린 서진에게 또다시 남자의 목소리가 들렸다.

--지금이야.. 어서 죽여.. 여기서 밀어버려..

서진이 매서운 눈빛으로 지연에게 달려갔다. 그리곤 지연

의 머리체를 잡고 난간으로 끌고 갔다.

--그래.. 그렇게 끌고 가...

서진은 미친 사람처럼 이성을 잃고 웃어댔다. 모든 일이 잘만 풀릴 것 같았다.

-서진아.. 재발 진정 좀 해..

지연이 애타롭게 외쳤다. 그러나 서진은 듣지 않았다. 결국 지연을 들어 난간에 기대어 목을 졸랐다.

-너만 없으면.. 모든 게 내 거야.. 그러니깐.. 죽어!

사람은 죽기 일보 직전에 강해진다고 했나 지연은 강하게 저항했다. 다행히 서진을 밀어내고 저 멀리 달아났다. 서진도 지연이 달려간 방향으로 뛰었다. 결국 지연은 넘어졌고 서진은 다시 지연의 머리체를 잡고 끌고 갔다.

-서진아 제발 제발 좀..

지연이 간곡히 부탁했다. 갑자기 서진의 붉었던 눈이 원 때대로 돌아왔다. 정신을 차리니 지연이 자신에게 빌고 있는 모습이 보였다. 또다시 남자의 목소리가 들리기 시작했다.

--뭐 하는 거야... 어서 죽여! 네 안에 있는 욕망을 끄집어 내라고...

서진의 눈이 다시 붉게 변했다. 서진은 다시 지연의 머리체를 잡고 난간으로 들어 올렸다.

-언니.. 잘 가?

말이 끝나자 지연을 난간에서 밀어버렸다. 지연의 비명이 울렸다. 곧 현과 이신, 흑암이 문을 박차고 들어왔다.

-저 새끼 잡아!

현의 명령에 이신은 서진을 땅바닥에 눕혀 제압했다.

-야 이현!

흑암이 현을 불렀다. 현은 듣지 않고 바로 난간으로 뛰어 내렸다. 현도 지연의 뒤를 따라 추락했다. 손을 뻗었지만 닿지 않았다.

-제발 닿아라!

현이 다시 손을 뻗었고 다행히 지연을 잡았다. 현은 지연을 끌어당겨 품에 안았다. 곧 현의 꼬리와 귀가 튀어나왔다.

-지연아.. 놀랄 수도 있는데.. 꽉 잡아!

현이 방어구를 구축하기 시작했다. 몸에서 노란색 빛이 나오며 현과 지연을 둘러싸기 시작했다. 현이 방어구를 다 구축할 때쯤 무언가 날아와 현의 복부를 관통했다. 현이 피를 토했다. 방어구가 해제되었고 현은 한 번 더 복부를 관통당했다. 현은 지연을 온몸으로 감쌌다. 곧 해를 가리는 유리를 깨고 현과 지연은 지면에 부딪혔다. 야외에 있던 직원들의 비명소리가 울려 퍼졌다. 지연은 온몸의 뼈가 으스러졌고 현은 의식만 남아있었다.

-뭐야? 왜 이리 소란스러워?

대마침 진과 시아가 도착했고 사람들이 몰려있는 곳으로

향했다.

-현아!

진과 시아가 현을 보자 달려갔다.

-여.. 여기 구급차 좀 불러주세요.. 구급차 불러!

-진아.... 우리 집.. 내 금고에서.. 여우구슬 좀.. 여우구슬 좀 가져다..

이 말을 마지막으로 현의 의식도 끊겼다.

곧 옥형과 오휴가 달려왔다.

-현이 왜 이래..

-누가 빨리 업어!

옥형이 현을 업곤 달렸다. 시아는 지연을 업고 계속해 달렸다. 마침 구급차가 도착했고 서둘러 현과 지연을 이송했다. 잠시 후 경찰차도 도착해 경찰들이 옥상으로 올라갔다. 경찰들은 서진을 연행했고 흑암은 웅진과 상황을 정리했다.

병원에 도착해 현과 지연은 곧바로 수술에 들어갔다.

-이게 무슨 일이냐? 우리.. 우리 현이가 어쨌다고..?

이신과 설연이 신주를 대리곤 수술실 앞으로 왔다. 신주는 현이의 상황을 듣자 혼절했다.

-... 현아.. 재발...

14시간 정도 지나자 현과 지연이 수술실에서 나왔다.

-김박사님.. 우리 현이.. 그리고 지연 씨.. 어떤가요..?

-일단 회장님은 무사합니다.. 그러나.. 같이 들어온 이지연 환자분은 상황이 매우 안 좋아요.. 인간이어서 그런가.. 깨어나긴.. 힘들 것 같습니다..

진은 한편으론 다행이었지만 한편으론 좌절했다. 지금의 현은 지연 없인 생활이 불가능했기 때문이다.

-.. 방법이 없는 건 아닙니다. 여우구슬을 먹이면 됩니다.

모두들 김박사를 쳐다봤다.

-방법이 있어요?

-.. 그런데.. 회장님의 여우구슬이... 하나여서.. 심지어 그것도 깨졌어요..

-... 아니에요! 두 개 있어요..

진이 주머니에서 여우구슬을 꺼냈다.

-현이가 가지고 오랬어요.

이들은 모두 현의 병실을 향해 달려갔다. 진이 여우구슬을 현의 입술 위에 살포시 올렸다. 여우구슬은 빛이 되더니 현의 몸속으로 들어갔다. 잠시 후 현이 눈을 떴다.

-현아!

모두들 현을 끌어안고 흐느꼈다. 잠시 후 현이 비틀거리며 지연의 침상으로 다가갔다.

-현아.. 어떻게 하게...

진이 현에게 물었다. 현은 아무 말도 하지 않고 지연의 입술 위에 여우구슬을 올렸다.

-인간이 여우구슬을 흡수하려면... 구미호가 정기를 줘야돼..

-야 잠깐.. 너 아직 회복도 않됐는데..

-괜찮아... 진아.. 나 지금 지연이 없음.. 못살아..

현이 애처롭게 울며 말했다. 곧이어 현이 지연을 한번 보더니 지연에게 입을 맞췄다. 현이 입을 맞추자 여우구슬이 지연의 몸속으로 흡수가 되었다. 흡수가 되면서 지연의 머리에서 여우의 귀가 솟아나고 꼬리가 생겨났다.

외전1 이신과 설연

약 300년 전
-설연 뭐 해?
이신이 돌에 누워 자고 있는 설연을 깨웠다.
-이신아?
설연이 웃으며 말했다.
-좀 꺼져 재발!
설연이 이신의 등을 마구 때리며 말했다.
-아 아파..
-설연아.. 내비둬라..

흑암이 이신을 한심함과 격려의 눈빛으로 바라보며 말했다.

-아니...

-현아.. 흑암아.. 쟤좀 끌고 나가..

-싫은데~?

-이신아.. 넌 그렇게도 밀어내는데 안 지쳐?

-내버려두어라.. 저러다 말겠지

현이 바위에 기대어 말했다.

-제발 좀.. 여기서 들 이러지 말라고!

-야.. 쟤 화난다...

내가 다리를 잡을 테니 네가 팔 잡아

-그러자고

현이 이신의 다리를 잡고 흑암이 이신의 팔을 잡곤 설연의 동굴 밖으로 빼내었다.

-이신아.. 안 지치니?

이신과 현, 흑암이 나간 후 시아가 주작에서 인간으로 모습을 변화하며 설연의 동굴로 들어왔다.

-설연~

설연은 벽을 향해 얼굴을 돌리고 있었다.

-뭐 해?

시아가 설연의 얼굴을 봤을 땐 설연의 얼굴은 매우 붉어져 있었다.

-... 너 설마 이신이..?

-알면서 말하지 마...

시아는 더 이상 말을 하질 않았다. 말하지 않아도 설연의 얼굴만 보면 다 알 수 있을 거 같았다.

-언제부터야?

-.... 얼마 안 됐어...

--... 이것들이 쌍으로 미쳐가지고.....--

-이신아... 너 정말로 설연이 좋아하는 거 맞아?

현이 계속 이신을 추궁했고 이신과 현 뒤에서 흑암은 싱글싱글 웃고 있었다.

-넌 말 안 할 거면 웃지 마 인마..

-난 다 알지요~

-.. 재수 없는 놈...

그러니깐 이신아.. 정말로 좋아하는 거 맞냐고

늘 장난기 많은 이신이었지만 지금의 이신은 한 여자에 미친 사내일 뿐이었다.

-.... 네가 정말로 미쳤구나..

정신 차려 인마!

현이 이신의 등짝을 세게 후려갈겼다. 대포 터지는 소리가 나며 이신은 저 멀리 날아갔다.

-야... 아파...

-... 힘조절이 잘 안 되네?

-걱정 마라.. 쟤네 무조건이다...

-보여?

-어 아주 잘

흑암의 말대로 이신과 설연의 분위기는 점점 개선되고 있었다. 이신은 밤마다 설연을 생각하느라 잠을 이루지 못했고 설연도 이신의 생각만 하느라 잠을 이루지 못했다.

며칠 후 근처 마을에서 축제가 열렸다. 상인들은 모두 나와 장사를 하기 시작했고 거리는 밝게 빛났다.

-야... 갑자기 웬 축제래?

-산신을 위해 지네는 거라잖아

-할아버지?

-그렇겠지 뭐

현과 진의 담소가 시작되었다.

-그런데 이신이랑 설연인?

진이 담소를 나누다 말고 이신과 설연을 찾았다.

-내버려두어 지금쯤 잘하고 있겠지...

현이 설명을 하곤 곰방대를 입에 물었다.

-곰방대를 왜 피고 있어 이 자식아!

시아가 현이 물고 있던 곰방대를 뺏어 곰방대로 현의 머리를 때리기 시작했다.

-아니.. 나도 좀 물자!
현이 시아에게 따졌지만 시아에 살기에 몸을 움츠렸다.

산중턱즘 이신과 설연은 산길을 걷고 있었다. 걷다 보니
큰 나무가 보였고 이들은 나무 위로 올라가 나뭇가지에
걸터앉았다. 어색한 분위기가 이어졌고 이신과 설연은
서로를 의식하고 있었다.
-그.. 마을에 안 내려가도 괜찮아?
-... 조금만 더 있다 가자...
계속해서 침묵이 이어졌다. 결국 참다못한 이신이 말을
했다.
-설연아... 내려갈까?
이신이 긴장한 듯 목소리를 떨며 말했다. 하지만 설연은
멍하니 허공만 바라보고 있었다. 이신은 한동한 설연을
바라보았지만 설연은 매정하게 눈길 한번 주지 않았다.
결국 이신이 고개를 돌리고 나무아래로 내려가려 할 때
설연이 이신의 손을 붙잡았다. 그런데 하필 이신이 나무
에서 내려온 상태에서 손을 잡았기에 이신과 설연 둘 다
땅으로 곤두박질쳤다. 정신을 차려보니 이신은 땅바닥에
누워있었고 설연은 이신의 몸 위에 밀착돼있는 상태로
누워 있었다. 설연의 얼굴이 먼저 붉어졌고 이신의 얼굴
도 붉어졌다.
-야 김이신....

설연이 이신에게 말을 꺼냈다.

-너.. 다른 여자에게 한눈 안 팔 거야?

-뭐..?

이신이 다시 되물었다.

-.. 한눈 안 팔 거냐고..

설연은 짜증이 섞인 목소리로 말했다.

-.. 내가 어떻게 한눈팔아... 앞으로도... 죽기 전까지.. 내 인생에 여자는.. 너뿐일 텐데..

-.. 증명할 수 있어?

-어떻게 증명할까?..

이신이 능글맞은 목소리로 대답했다. 곧이어 이신이 설연에게 입을 맞췄다. 설연도 이신의 얼굴을 끌어당겨 입을 맞췄다. 한껏 입맞춤을 마치곤 부끄러움이 몰려오는 이신과 설연이었다.

-약속 지켜라?

-당연하지..

이신과 설연은 다시 한번 서로에게 입을 맞췄다.

-잘들한다...

현, 흑암, 시아, 진은 이신과 설연의 관경을 보며 미소 지었다. 곧이어 산에서 이신과 설연이 내려왔고 현과 진은 집요하게 따라붙으며 계속 물어봤다.

-야 넌 이신이 어디가 좋니?

이신과 설연은 갑자기 저 멀리로 뛰어갔고 현, 진, 시아, 흑암도 그들의 뒤를 따랐다.

외전2 제사

-야! 일어나!

-오라비... 좀 더 자자...

흑연이 비몽사몽 한 목소리로 말했다.

-누이... 고마 일어나.. 난 업무 보느라 자지도 못했다...

적천이 축 처진 목소리로 말했다.

-... 바다야? 왜 안 일어나니?

-큰 오라비.. 나 더 잘래...

-형 자게 둬

진이 다시 침대에 누우면서 말했다. 백천의 흰 피부는

열이 받아 점점 붉어졌고 이 넷은 뭐가 그리 재밌는지 서로 낄낄대고 있었다.

-빨리들 일어나자..

-형.. 나 좀 쉬면 안 돼? 나 리센트 부회장이야..

-난 대표이사야

-오라비 나도 이사야...

-나도 이산데

적천까지 합세했고 바다만 혼자 이불을 싸매고 말했다.

-난... 인턴..

네 명은 백천의 말은 가볍게 무시하곤 계속해서 이야길 이어나갔다. 계속 이야기를 듣다가 백천은 앞치마에서 여의주를 꺼내 들었다.

-오우.. 형? 진정해

-오라비? 그거 내려놔..

백천은 씩 웃더니 여의주를 방바닥에 내리꽂았다. 쾅하는 소리와 함께 집이 흔들렸다. 네 명은 모두 뒤로 자빠졌다.

-... 오라비... 어우.. 그걸 왜 땅에 내리꽂아..

-그러게 한번 말할 때 잘 일어나지 그랬니?

빨리나 와서 전이나 부쳐 애들 곧 오겠다.

-오늘이지? 기일이

-그래 곧 애들도 오니깐 준비해

말이 끝나자 현이 지연과 함께 들어왔다.

-나 왔어

-어? 지연 씨는 왜?

-전 그냥 회장님이 들고 왔어요

현이 약 올리는 눈빛으로 진을 쳐다봤다.

-... 저 부러운 시키

-.. 진아 넌 독신이잖니

-그냥 말이 그렇다고

이윽고 흑암과 시아, 이신과 설연이 차례대로 들어왔다.

-자 다모였으면 슬슬 준비해

현이 멀리 있는 방에서 상자를 가지고 와서 안에서 무언
가를 꺼냈다.

-사진이네요?

-그림이지..

현이 액자를 닦더니 상위에 차례차례 올리기 시작했다.

-지연아 오늘 우리들 부모님 기일이야..

그래서 우리 부모님께 너 소개해주고 싶어서 대려왔어..

6명의 부부 총 12명의 사진이 상위에 올려졌다. 백천은
앞치마를 벗곤 검은색 양복으로 갈아입고 나왔다.

-자 절들 하자

제사를 다 지내고 수다시간이 이어졌다. 각자의 부모님
영정사진 앞에 서선 그간 있던 일들을 말하기 시작했다.

-어머니, 아버지.. 저희 5남매 오랜만에 인사드려요..

-우리 바다 현이네 회사에 드디어 입사했다?

각자 몇 마디씩 하곤 드디어 현의 차례가 되었다.

-아버지... 어머니.. 유진, 지원, 하나, 소유야... 잘들 있었어? 내가 오늘 사람 한 명 소개해 줄게..

내가 처음으로 지켜주고 싶은 애야... 내 모든 걸 바쳐서도..

-참고로 예네 안 사귀어요

진이 옆에서 덧붙였다.

-... 그러니깐 잘 살게요.. 앞으로도

지연과 현은 서로를 마주 보며 옅은 웃음을 서로 지어보였다.

-나도 앞으로도 계속 같이 있을게요..

-얘들아.. 이럴 거면 제발 사귀어..

그날따라 현과 지연은 잡은 손을 놓고 싶지 않았다.

외전3 고백

다들 집을 비운 어느 날 현과 지연만 남아 각자 시간을 가지고 있었다.
-해도 해도 끝이 안 나네...
한 기업의 회장이어선지 업무를 끝내도 계속해서 업무가 쌓였다.
-오라버니?
지연이 문틈사이로 얼굴만 내놓고 현을 바라봤다.
-왜?
-그냥 심심해서?

지연이 다가오더니 현의 무릎에 살포시 앉았다.

-야.. 우리 아직 안 사귀는데..

-그래도 썸이니깐?

현도 옅은 웃음을 지며 지연의 머리를 쓰다듬었다. 지연도 말없이 현의 다른 한 손을 잡았다.

-그래도 너라도 있으니깐 살 거 같네..

현의 입가는 어느새 미소로 가득 찼다.

--사랑해.. 아직 말하진 못하겠지만...

현의 속마음은 언제나 지연을 향해 있었다. 그 마음은 지연도 마찬가지였다.

--계속 같이 있고 싶어...

서로의 감정은 같았지만 내색하지 않았다.

-지연아 어제 좀 어땠어?

현이 제사를 물어봤다.

-음.. 오빠의 몰랐던 점을 알았으니깐 괜찮았어요

-매년 제사가 있는데 우리들 말곤 다른 사람 대려온건 처음이다?

그래서... 나에겐 네가 특별해...

그리고 내가 아직 말하지 못한 비밀이 있어..

그러니깐 내가 말할 수 있을 때까지만 기다려줘...

지연의 얼굴이 어느새 붉어졌다. 지연이 뒤를 돌아 현을 봤을 땐 현이 손목으로 얼굴을 가리고 고개를 돌리고 있었다. 현의 얼굴도 붉은 건 마찬가지였다.

-오빠

지연이 현의 손을 잡곤 말했다.

-충분히 기다릴 수 있으니깐 말할 수 있을 때 말해줘요..
기다릴게요..

현이 말없이 지연을 끌어안았고 지연은 그런현을 말없이
안아줬다.

외전4 현의 꿈

-그러니깐... 이걸 하자고?

-네!

지연이 해맑게 웃으며 말했다.

-지연아.. 갑자기 왜 야바위를 하잔거니?

-그냥? 오빠는 잘 모르니깐

--잘 모르긴.. 100년 전에 경성에서 100냥 걸곤 쫄딱 잃었는데..--

-우린 돈 말고 딱밤내기로 하자

-그래

현과 지연의 도박(?)이 시작됐다.

3판쯤 했을 때 현이 졌다.

-자.. 친다?

-빨리 쳐!

지연이 딱밤을 때리자 현이 쓰러졌다.

눈을 떠보니 어느새 집 밖에 나와있었다.

-여보!

익숙한 목소리가 들렸다. 현이 고개를 돌리니 유모차를 끌고 오는 지연이 보였다.

-혹시... 지연이?

-당신 왜 그래요?

어디 아파요?

현의 머릿속은 복잡해졌다.

-그럼 이 애들은...?

-유현이랑 유나 우리 애잖아요..

현이 아이들에게 다가갔다. 정말 자신과 지연을 쏙 빼닮은 구미호 두 마리였다.

-그럼 내가 비밀도 말했어?

-당신 구미호인 거?

현의 머릿속은 점점 더 복잡해졌다.

-그 일단 들어가자..

들어가자 정말로 다른 게 없었다.

-유현아~ 유나야~

진이 아이들을 안고 돌아다녔다.

-야 넌 애도 있고

좋겠다?

-아니 잠깐.. 뭐가 어떻게 돌아가는 거야?

장산범은?

-죽였잖아 네가

-... 모르겠다... 지연아 먼저 들어갈게...

현이 방으로 들어가자 육아용품이 널리 흐트러져 있었
다. 현은 물건들을 하나하나 주으며 말했다.

-그래도 어찌어찌 고백은 했나 보네..

현이 물건을 다 치웠을쯤 지연이 들어왔다.

-당신 다 치웠어요?

-흐트러져 있길래...

혹시 내가 꿈꾸는 건 아니지?

-꿈이요?

그럴 리가..

지연이 현의 목에 팔를걸더니 입을 맞췄다. 현은 놀라
뒤로 넘어졌다.

-... 왜 그래요?

-아, 아니 놀라서..

넘어진 현의 위로 지연이 살며시 올라왔다. 그러곤 이번
엔 얼굴을 잡고 입을 맞췄다. 현도 어느 순간부터 즐기
고 있었다. 현이 지연을 들더니 침대 위로 올라갔다. 침

대에 지연을 눕히고 지연의 옷을 하나하나 벗기기 시작
했다.

-오늘은 내 맘대로 해도 될까?

-당신 마을대로

현이 지연에게 입을 맞췄다. 입술이 점점 내려가더니 목
에서 멈춰 섰다. 현이 지연의 목을 살짝 물자 지연의 신
음이 옅게 울렸다. 현과 지연의 감정은 계속 치솟았고
감정은 육체적 행위로 이어졌다. 지연은 현에게 매달렸
고 현은 그런 지연을 들어 올렸다. 지연의 숨소리는 점
점 거칠어졌고 서로의 몸은 어느새 땀범벅이 되었다.

-저기 당신?

-왜 그래?

-아까 했잖아요... 근데 왜 또...

-네가 좋아서..

현과 지연은 서로를 껴안고 잠들었다. 그러나 지연의 맨
살이 현에게 자꾸 닿았기에 현은 쉽사리 잠들지 못했다.
현도 어느새 피곤해졌는지 눈을 깜빡였을 때 안절부절못
하는 지연의 모습이 보였다.

-... 뭐야?

모든 것은 현의 꿈이었다. 현은 꿈이지만 자신이 한 행
동에 부끄러움이 몰려왔다.

-오빠 어떡해...

정신을 차리자 이마에 큰 고통이 찾아왔다.

--이현 이 미친놈... 이 색마...--

TMI

안녕하세요 salt입니다. 자.. 이렇게 여우신랑 인간신부 1권이 끝났습니다. 그래서 원래의 형태, 요괴의 종류, TMI 등등을 한번 소개해 볼까 합니다.

1.요괴&신수

1. 구미호(이현)

구미호(九尾狐)는 중국 신화에서 유래하여 한국, 일본을 비롯한 동아시아 설화에 구전되는 황금빛 털에 9개의 꼬리를 가진 여우 괴수, 신수(神獸)입니다. 동아시아 설화에서 여우는 요술을 부리는 요괴로 묘사되며 구미호는 장난스럽고, 보통 다른 사람들을 속이고, 자신을 아름다운 여성으로 위장하는 능력을 지닌 것으로 묘사됩니다. 여기에서는 주인공 현이가 구미호로 나오는데 저는 설정을 달리해서 구미호가 천년을 살면 천호(天狐) 즉 하늘의 여우가 된다라고 묘사를 했습니다. 우리가 흔히 구미호는 사람, 말, 소등의 동물의 간을 빼먹는다고 알고 있지만 여기에서 구미호는 그냥 비범한 능력만 가지고 있을 뿐 우리가 알고 있는 사실이랑은 정반대로 나온답니다.

2. 용(백천, 흑연, 청진, 적천, 금바다)

용(龍)은 동아시아의 신화 및 전설에 등장하는 상상의 동물로 여겨지지만 수많은 역사 기록에 남아 있는 생물입니다. 특히 중국에서는 신성한 동물, 즉 영수(靈獸)라고 하여 매우 귀하게 여겼습니다. 용은 영수 중에서도 특히 귀하게 여겨져, 용이 모습을 드러내면 세상이 크게 변할 전조라고 믿어졌습니다. 용을 보았다는 소문이 흘러나오면 황제가 점술가들을 불러 길흉을 점치게 하고 점괘가 불길하게 나오면 궁궐까지 바꾸는 일까지 있었습니다. 한국에서는 용을 가리켜 미르라는 고유어로 불렀었다. 뱀이 500년을 살면 비늘이 생기고 거기에 다시 500년을 살면 용이 되는데, 그다음에 뿔이 돋는다고도 합니다. 여기에선 진네

5남매가 각각 백룡, 흑룡, 청룡, 적룡으로 나옵니다.
1권에서는 조금 나왔지만 지네 5남매 중 첫째와 둘째인
백천과 흑연은 2권에서 조금 더 중요한 역할로
나옵니다.

3. 주작(유시아)

주작(朱雀)은 사신 중의 하나인 상상의 동물입니다.
주조(朱鳥), 주오(朱烏), 적오(赤烏)라고도 부르며 붉은
새를 총칭합니다. 모습은 두 날개를 활짝 펼친 붉은
봉황이다. 때문에 봉황과 동일시되는 경우가 많습니다.
주작은 남쪽을 수호하며 오행 중에서는 불의 속성을
지니고 있으며, 주작은 계절에서는 여름을 관장하며
재판관으로 죄를 심판합니다. 한국에서는 다른 사신들과
더불어 고구려와 고려의 고분 벽화에 그려졌다. 또한
경복궁의 남쪽문인 광화문의 천장에도 그려져 있습니다.
시아가 주작이고요 이제 나중에 2권에서 사흉수를
처치할 때 큰 활약을 보일 겁니다.

4. 현무(진흑암)

현무(玄武)는 사신(四神) 중의 하나로 여겨지는 신화 속 동물입니다. 암수가 한 몸이고 뱀을 몸에 칭칭 감아 얽혀 뭉쳐 있는 다리가 긴 거북의 모습을 하고 있습니다. 암컷인 거북의 머리와 수컷인 뱀의 머리가 원을 그리며 교차하는 모습으로 자주 그려지는데, 이는 암수가 서로 합하여 음과 양의 조화를 이룬다는 태극 사상도 담고 있습니다. 흑암의 한쪽눈은 회색인데 이눈으로 미래와 모든 걸 꿰뚫어 봅니다.

5. 범(이설연, 김이신)

호랑이(虎狼이) 또는 범, 칡범, 갈범은 식육목 고양잇과에 속하는 맹수이며 대한민국의 대표 동물입니다. 한국어에서 어린 개체는 개호주라 부른다네요. 설연, 이신 부부가 호랑이며 설연은 백호, 이신은 황호입니다.

6. 삼족오(오휴)

삼족오(三足烏) 또는 세발까마귀는 고대 동아시아 지역에서 태양 속에 산다고 여겨졌던 전설의 새입니다. 해를 상징하는 원 안에 그려지며, 종종 달에서 산다고 여겨졌던 원 안의 두꺼비에 대응됩니다. 삼족오는 신석기시대 중국의 양사오 문화, 한국의 고구려 고분 벽화, 일본의 건국 신화 등 동아시아 고대 문화에서 자주 등장합니다. 오휴가 삼족오이며 신주의 리센트의 이사회 소속이자 신주와 같이 살며 신주를 잘 돕습니다.

7. 해태(해신)

해태(獬豸/獬廌)는 중국 고대 전설 속의 '시비와 선악을 판단하여 안다고 하는 상상의 동물'입니다. 해치라고도 하며 사자와 비슷하나 기린처럼 머리에 뿔이 있다고 정의되어 있는 '해치'는 그 형태적 특징이 목에 방울을 달고 있으며, 몸 전체는 비늘로 덮여 있다고 알려져 있습니다. 또한, 겨드랑이에는 날개를 닮은 깃털이 나 있고, 여름에는 늪가에 살며 겨울에는 소나무 숲에 산다고 알려졌습니다. 한자로는 해(獬)가 부정한 사람을 보면 뿔로 받는다는 신수(神獸), 신통한 양 등을 뜻하고, 치(豸)는 웅크리고 노려보다, 풀리다 등의 의미가

있습니다. 해신은 장산범에게 맞고 날아가는 역할로
잠시 나왔고 이 친구도 마찬가지로 장산범과의 결전에서
꽤 도움이 될 것입니다.

8. 봉황(만월)

봉황(鳳凰)은 중국의 신화 및 전설에 나오는 상상의
동물입니다. 봉황은 모든 새의 우두머리라고도 불리며,
고구려 고분 벽화에 태양을 상징하는 삼족오 앞에
봉황을 탄 피리 부는 신선이 있습니다. 삼족오 뒤에는
용이 있으며, 고구려 고분 벽화에 따르면 봉황은 개벽의
상징입니다 말하면 봉황은 합성된 단어로 수컷은
'봉(鳳)', 암컷은 '황(凰)'이라고 하는데, 암수가 한 쌍으로
만나면 금실이 매우 좋다고 합니다. 성군(聖君)이
출현하거나 세상이 태평성대일 때 나타난다고 알려져
있습니다. 만월도 마찬가지로 날아온 해신에게 맞고
날아가는 역할로 잠시 나오고 말았습니다.

9. 옥토끼(옥형)

옥토끼(玉兔, 月兔)는 동아시아의 전설에서 달에 산다는 토끼를 말합니다. 마지막에 현을 업고 달리는 모습 외엔 나오지 않습니다.

10. 장산범

장산범은 조선 시대 구전으로 전하는 전설의 동물입니다. 호랑이와 닮았으나 털이 희고, 사람의 목소리를 흉내 내는 것으로 전해집니다. 현의 부모와 5명의 부모를 모두 죽였으며 가장 강합니다.

11. 궁기(사흉)

궁기(窮奇)는 중국 신화에 등장하는 전설의 생물입니다. 사흉 중 하나입니다.

중국의 고대 지리서,《산해경》의 〈서산경〉에는 모습은 소와 같고, 고슴도치처럼 털이 나있으며, 규산(圭山)이라는 산에 살며, 개의 울음소리로 짖고,

사람을 잡아먹는다고 기록되어 있고, 《해내 북경》에는 날개가 달린 호랑이로, 사람을 머리부터 잡아먹는다고 기록되어 있습니다. 오제의 한 명인 소호의 아들이었는데, 그 혼이 규산에 머물러 괴물이 되었다고 합니다 《산해경》을 모방해 쓰인 전한 초기의 《신이경》에는 전술한 《해내 북경》과 같은 모습으로, 사람의 말을 알아듣고, 사람이 다투고 있으면 올바른 말을 하는 쪽을 잡아먹고, 성실한 사람이 있으면 그 사람의 코를 먹고, 악인이 있으면 짐승을 잡아다 그 사람에게 준다고 합니다. 궁기는 현 일행을 습격할 때 잠깐 나오곤 활약이 없습니다. 2권에서 더 많은 등장을 할거 같네요.

TMI

1. 현의 나이는 2024세이다(진, 흑암, 시아, 이신, 설연이랑 동갑)

2. 인간나이로 따지면 현은 33세, 지연은 31세이다.

3. 이신과 설연은 결혼하고 딱 10번밖에 안 싸웠다.

4. 흑암은 흡연자이다(전자담배)

5. 장산범의 공격에 유일하게 진의 부모님만 살았지만 상처가 악화되어 며칠 후에 죽었다.

6. 장산범은 항상 사흉을 데리고 다닌다.(궁기, 혼돈, 도철, 도올)
7. 오휴는 신주와 같이 지낸다.

8. 해신과 옥형은 결혼해서 이미 둘 다 자식이 있다.

9. 각각 결혼한 이가 인간이기에 가문에서 재명 되었다.

10. 현은 무기로 사인검(김유신이 쓰던 검), 진은 여의주가 들어있는 언월도를 흑암은 용광검(해모수가 쓰던 검)을 시아는 환도와 각궁(살의 종류가 다양함)을 설연과 이신은 쌍룡검(이순신이 쓰던검)을 쓴다.

11. 장산범의 영혼구에는 6명의 부모의 영혼과 장산범에게 당한 이들의 영혼이 담겨 있다.

12. 현은 흡연자였으나 금연에 성공했다.

13. 신주는 귀수산이지만 땅을 수호하는 신령이기도 한다.

14. 리센트의 이사회 임원은 총 12명이다.

작가의 말

SALT입니다. 여우신랑 인간신부 1이 완결 났습니다. 총 2편으로 계획했고 앞으로 차기작들도 많이 나올 예정입니다. 여우신랑 인간신부는 제가 처음으로 쓰는 소설입니다. 처음이다 보니 미숙한 점이 매우 많을 수 있습니다. 그래도 앞으로 차차 발전시켜 나갈 테니 그런가 보다라고 생각해 주시면 감사하겠습니다. 이제 다시 2권을 쓰고 동백가지 같이 작업을 해야 될 거 같습니다. 그냥 취미로 쓰던 글쓰기가 이렇게 장기 프로젝트가 될 줄은 상상도 못 했는데 그레도 이렇게 되니 재밌네요. 그럼 저 salt는 2권으로 돌아오겠습니다.

여우신랑 인간신부

발 행 | 2024년 6월 03일
저 자 | Salt
펴낸이 | 한건희
펴낸곳 | 주식회사 부크크
출판사등록 | 2014.07.15.(제2014-16호)
주 소 | 서울특별시 금천구 가산디지털1로 119 SK트윈타워 A동 305호
전 화 | 1670-8316
이메일 | info@bookk.co.kr

ISBN | 979-11-410-8787-6

www.bookk.co.kr